Flex und Flora

Deutsch

Richtig schreiben

Erarbeitet von

Heike Baligand, Niedersachsen

Angelika Föhl, Baden-Württemberg

Nadine Pistor, Nordrhein-Westfalen

Bettina Sievert, Nordrhein-Westfalen

in Zusammenarbeit mit der

Redaktion Grundschule

Für die Ausleihe bearbeitet von

Heike Baligand, Niedersachsen

Katharina Jorga, Baden-Württemberg

Caroline Tautz, Hessen

Christina von Weyhe, Niedersachsen

Unter beratender Mitwirkung von

Marion Aufleger, Hessen; Nadin Haida-Herklotz, Berlin/Brandenburg;
Dr. Erwin Hajek, Baden-Württemberg; Jessica Heide, Saarland;
Alexandra Herbon Carou, Rheinland-Pfalz; Tanja Holtz, Niedersachsen;
Petra Klein, Saarland; Esther Mager, Schleswig-Holstein;
Nicole Pleus-Quiter, Niedersachsen; Insa Scheller, Hamburg

Illustriert von

Anke am Berg, Karoline Kehr, Sabine Kranz

Diesterweg

westermann

Inhaltsverzeichnis

R1

R2

R3

3

Im Wörterbuch nachschlagen

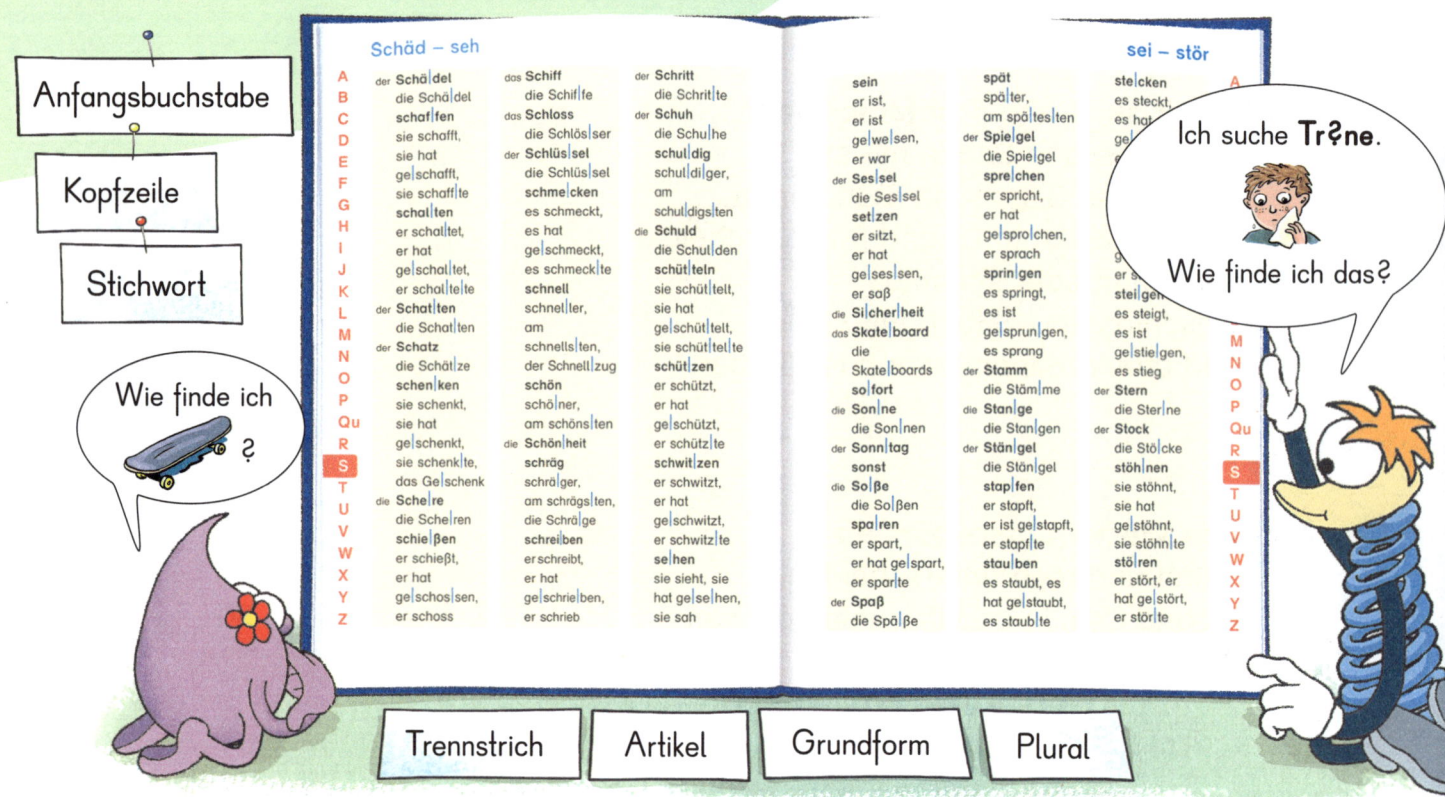

Anfangsbuchstabe

Kopfzeile

Stichwort

Wie finde ich 🛹 ?

Ich suche **Trᵕne**.
Wie finde ich das?

Trennstrich Artikel Grundform Plural

1 Zeige einem Partner oben im Wörterbuch
Beispiele für die Begriffe auf den Karten.

So schlägst du nach:
– Überlege, wie das Wort geschrieben werden könnte: Vogel oder Fogel?
– Diese Buchstaben findest du so: ä wie a, ö wie o, ü wie u, äu wie au, ß wie ss.
– Suche Singular, Grundform oder ein Wort aus der Wortfamilie.
– Zerlege zusammengesetzte Wörter.

2 Schlage die Wörter im Wörterbuch nach.
Schreibe sie mit **ä, ö, ü, äu** oder **ß** ins Heft
und notiere die Seitenzahl.

2) Säule, S. _____

3 Schlage die Wörter ohne die Wortbausteine am Anfang
im Wörterbuch nach und schreibe sie
mit der Seitenzahl ins Heft.

3) stecken, S. _____

anstecken	abputzen
aufbohren	aufknacken

Den Aufbau eines Wörterbuchs nachvollziehen
Wörter mit ä, ö, ü, äu und ß nachschlagen
Wörter mit Wortbausteinen zerlegen und im Wörterbuch nachschlagen

Wörter alphabetisch ordnen

1 Ordne die Wörter nach dem Alphabet und schreibe sie ins Heft.
Markiere in jedem Wort den Buchstaben, der dir beim Ordnen geholfen hat.

besuchen	versuchen
bestimmt	verstecken
Besen	verschieden
besser	versetzen
besonders	versprechen

1) Bes<mark>e</mark>n

2 Schreibe die Listen ins Heft.
Zeichne Pfeile und ordne die Wörter zu.

Bär   böse   beißen   Mähne   Maß   müde

Arzt	Magen
Baby	Mahl
Baum	Mann
beide	Matsch
Blume	mehr
Boot	Moos
boxen	Mühle

2) Arzt
   Baby
          ← Bär
   Baum

ä wie **a**
ö wie **o**
ü wie **u**
äu wie **au**
ß wie **ss**

3 Suche dir einen Partner. Ordnet die Wörter nach dem Alphabet und schreibt sie ins Heft.

Stängel	Strauß
stimmen	stürzen
stoßen	Strand
stöhnen	streiten
Stamm	Sturm

3) Sta – stoß | Stran – stü
   Stamm |

Wörter nach dem vierten und fünften Buchstaben ordnen
Wörter mit ä, ö, ü, äu und ß alphabetisch sortieren
Wörter nach Kopfzeilen ordnen

AH S. 30–31

Wörter zerlegen und nachschlagen

🔍 **1** Schlage die Verben ohne die Wortbausteine am Anfang im Wörterbuch nach.
Schreibe sie mit der Seitenzahl ins Heft.

> 1) fahren, S. _____

anfahren	erdrücken
verkühlen	abreißen
übertreffen	mitfühlen
zersägen	abknicken
ankommen	vorführen

> Manche zusammengesetzte Verben findest du nicht mit ihrem Anfangsbuchstaben.

🔍 **2** Finde im Text die Verben,
die mit Wortbausteinen beginnen.
Schreibe sie ohne Wortbaustein
und in der Grundform ins Heft.
Schlage die Verben nach
und notiere die Seitenzahl.

> 2) versammelt – sammeln, S. _____

Die Klasse 4c versammelt sich vor der Turnhalle.

Sie besteigt heute einen Berg.

Frau Mai überprüft zuerst, ob jemand fehlt.

Dann will sie noch die Pausen absprechen.

Nun kann es losgehen.

Nach einiger Zeit verläuft sich die Klasse.

Alle warten, während Frau Mai auf der Karte nachsieht.

Sie mussten an einer Stelle vorher schon abbiegen.

Als die Klasse oben ankommt, sind alle glücklich.

> Bei Verben in verschiedenen Zeitformen musst du die Grundform bilden, um das Wort zu finden.

🔍 **3** Schlage die zusammengesetzten Adjektive im Wörterbuch nach.
Zerlege sie in Nomen und Adjektiv.
Schreibe sie einzeln mit der Seitenzahl ins Heft:
eiskalt: Eis, S. … + kalt, S. …

eiskalt	himmelblau	weltweit
spiegelglatt	stockfinster	haushoch
zuckersüß	grasgrün	federleicht
sternenklar	blitzschnell	brandheiß
wunderschön	schneeweiß	tonnenschwer

Verben mit Wortbausteinen zerlegen und im Wörterbuch nachschlagen
Zusammengesetzte Adjektive im Wörterbuch nachschlagen

Stichwörter erkennen und nachschlagen

🔍 **1** Suche die Stichwörter im Wörterbuch und schreibe einige verwandte Wörter, die du unter dem Stichwort findest, ins Heft. Markiere die gleichen Wortbausteine.

> 1) er führte, die Führung, der Führerschein

führen	der Abend
stecken	schwierig

Die Stichwörter sind **fett** gedruckt.

🔍 **2** Schreibe zu den Wörtern das **fett** gedruckte Stichwort aus derselben Wortfamilie ins Heft. Notiere die Seitenzahl, unter der du das Stichwort im Wörterbuch findest.

> 2) jährlich — Jahr, S.

jährlich	Gebäck	begründen
stürmisch	erkälten	Verkäufer

🔍 **3** Kontrolliere die unterstrichenen Wörter. Suche das passende Stichwort im Wörterbuch. Schreibe die Wörter richtig ins Heft und notiere die Seitenzahl.

> 3) gebacken — backen, S.

Liebe Oma!

Heute habe ich einen Kuchen für dich gebaken.

Er ist sonnengelp geworden und sah lecker aus.

Aber während ich vorm Fernsäher saß,

kam Papa nach Hause und ass den Kuchen auf.

Nun rühre ich blizartig einen neuen Teig an.

Liebe Grüße, auch vom Kuchendiep! ;-)

Dein Christo

4 Schreibe den Text von Aufgabe 3 ins Heft ab. Schreibe die falschen Wörter richtig auf.

> 4) Liebe Oma!
> Heute habe ich ...

Stichwörter im Wörterbuch finden und verwandte Wörter aufschreiben
Zu Wörtern das passende Stichwort finden und nachschlagen
Fehler finden, das passende Stichwort finden und mit dem Wörterbuch verbessern

Wörter mit silbentrennendem h erkennen

1 Sprich die Wörter deutlich, ordne sie zu Wortpaaren und schreibe ins Heft.
Markiere das **h** in den Wörtern und zeichne Silbenbögen.

1) gehen – geht

gehen	sehen	drehen	näher	Flöhe	Zehen
dreht	geht	sieht	Zeh	nah	Floh

2 Schreibe die Verben in der gebeugten Form ins Heft.
Markiere das **h** in allen Verben.

2) es blüht

blühen	nähen	wehen	ziehen

> Das silbentrennende **h** trennt zwei Silben voneinander: gehen, sehen, …
>
> Du schreibst alle Wörter einer Wortfamilie mit **h**: früher, früh, Frühling, …
>
> Um das **h** am Silbenanfang zu hören, verlängerst du die Wörter: er sieht–sehen.

3 Verlängere die Wörter, um das **h** am Anfang
der zweiten Silbe zu hören.
Schreibe die Wörter ins Heft und markiere das **h**.

3) verlängern: → | also
wir drehen | er dreht
noch |
viele |

er dre█t	der Schu█
fro█	es glü█t
das Re█	frü█

4 Warum werden **Kuhstall** und **Gehweg** mit **h** geschrieben?
Erkläre es einem Partner.

AH S. 32–33

Silbentrennendes *h* kennenlernen
Verlängern und Silbieren als Rechtschreibstrategie nutzen

Wörter mit silbentrennendem h üben

1 Lies den Text und schreibe die Wörter mit **h**
untereinander ins Heft. Es sind 11 Wörter.

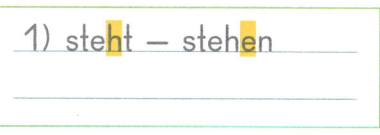

1) ste**h**t – ste**h**en

Justin steht am Fenster und sieht,

dass die erste Tulpe im Garten blüht.

Er zieht seine Schuhe an und geht raus.

Ein starker Wind weht und es ist kalt.

Der Wind dreht das bunte Windrad.

In einem Baum kräht ein Vogel

und eine Kuh muht auf der Wiese.

2 Ergänze in Aufgabe 1 bei den Verben die Grundform.
Ergänze bei den Nomen die Einzahl oder Mehrzahl.
Markiere das **h** in den Wörtern.

3 Schreibe die Wörter, die zu einer Wortfamilie gehören,
untereinander ins Heft.
Markiere die Wortstämme mit silbentrennendem **h**.

3) Aus**leih**e

Ausleihe	umdrehen	verleihen
verdreht	Leihgabe	Drehung

4 Schreibe den Text von Aufgabe 1 ins Heft ab.

4) Justin steht …

5 Finde in jedem Satz einen Fehler.
Schreibe die Wörter ins Heft,
die dir bei der Schreibweise helfen.

5) Kühe – Milchkuh

Die Milchku auf der Wiese muht.

Eine Bank steht neben dem Geweg.

Unser Apfelbaum blüht rosa im Früling.

Oma leiht mir die alte Nämaschine.

Beim Setest habe ich Buchstaben verdreht.

Das Reh hört ein Geräusch und fliet.

Lina dreht sich schnell auf den Schuspitzen.

Die Schule beginnt schon frü am Morgen.

6 Lass dir von einem Partner die Sätze von Aufgabe 5 diktieren.

Zu Verben mit *h* die Grundform bilden und einen Text abschreiben
Fehler in Wörtern mit silbentrennendem *h* finden
Partnerdiktat schreiben

26

9

Nomen mit Wortbausteinen großschreiben

1 Lies die Wörter halblaut.
Sprich die Wortbausteine am Ende besonders deutlich.

2 Schreibe die Nomen von Aufgabe 1 geordnet
und mit bestimmtem Artikel ins Heft.
Markiere die Endungen
und die Anfangsbuchstaben der Nomen.

> 2) -nis: das Ereignis,
> -schaft:
> -tum:

> Wenn du die Wortbausteine **-nis**, **-schaft** und **-tum** schreibst,
> musst du das Wort großschreiben. Diese Wörter sind **Nomen**:
> das Zeugnis, die Freundschaft, der Reichtum.
> Wörter mit **-heit**, **-keit** und **-ung** am Ende sind auch Nomen.

3 Bilde aus den Wörtern und den Wortbausteinen
-heit, **-keit** und **-ung** Nomen.
Schreibe sie geordnet und mit bestimmtem Artikel
ins Heft.

> 3) -heit: die Gesundheit,
> -keit:
> -ung:

gesund	sammeln	frei
langsam	schön	erklären
pünktlich	kreuzen	schwierig
heiter	trocken	verzweifeln
böse	entspannt	möglich

Die Wortbausteine
am Ende von Nomen
heißen auch Nachsilben
oder Endungen.

4 Bilde Sätze mit sechs Nomen von dieser Seite.
Schreibe sie ins Heft.
Markiere bei den Nomen die Wortbausteine am Ende
und die Anfangsbuchstaben.

> 4) ...

AH S. 34–35

Nomen mit *-nis*, *-schaft*, *-tum* kennenlernen und großschreiben
Nomen mit *-ung*, *-heit*, *-keit* wiederholen und großschreiben
Nomen mit Wortbausteinen aus anderen Wortarten bilden

Wortbausteine erkennen und nutzen

1 Schreibe den Text ins Heft ab.

Paul freut sich, denn es findet
das große Ereignis des Jahres statt,
die Kreismeisterschaft im Handball.
Paul sitzt auf der Tribüne voller Bereitschaft,
sein Team anzufeuern: „Rote vor, noch ein Tor!"
Doch plötzlich gibt es ein Problem in seiner
Lieblingsmannschaft. Der beste Spieler wurde gefoult
und hat jetzt eine böse Verletzung.
Voller Besorgnis schaut Paul auf das Spielfeld.
Hoffentlich bleibt das die einzige Schwierigkeit, denkt er.
Sein Team soll doch bei der Siegerehrung einen Pokal bekommen!

1) Paul freut sich, denn
   es findet das große
   Ereignis ...

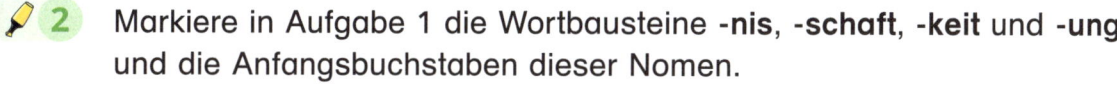

2 Markiere in Aufgabe 1 die Wortbausteine **-nis**, **-schaft**, **-keit** und **-ung**
und die Anfangsbuchstaben dieser Nomen.

3 Lass dir von einem Partner vier Sätze von Aufgabe 1 diktieren.

4 In jedem Satz ist ein Fehler. Finde die falschen Wörter
und schreibe sie mit bestimmtem Artikel richtig ins Heft.

> 4) das Verhältnis

Im verhältnis zu meinem Freund laufe ich schnell.

Mit der Nachbarin verbindet uns eine freundschaft.

Mein neues Fahrrad ist mein eigentum.

Im altertum bauten die Römer viele Theater.

Yasin hat ein gutes gedächtnis.

5 Erkläre einem Partner, warum die Wörter in Aufgabe 4 großgeschrieben werden.

6 In jedem Satz sind drei Fehler.
Schreibe die Sätze richtig ins Heft.
Markiere die Wortbausteine und die Anfangsbuchstaben der Nomen.

> Zur sicherheit kontrolliert Linda
> die ergebnisse ihrer rechnungen noch einmal.

> Schon im altertum wurden in den wissenschaften
> viele erkenntnisse gewonnen.

Nomen mit den Wortbausteinen *-nis,-schaft, -keit* und *-ung* in einem Text erkennen
Einen Text abschreiben und ein Partnerdiktat schreiben
Fehler in Sätzen finden und verbessern

R1

28

11

Ableiten und Verlängern üben

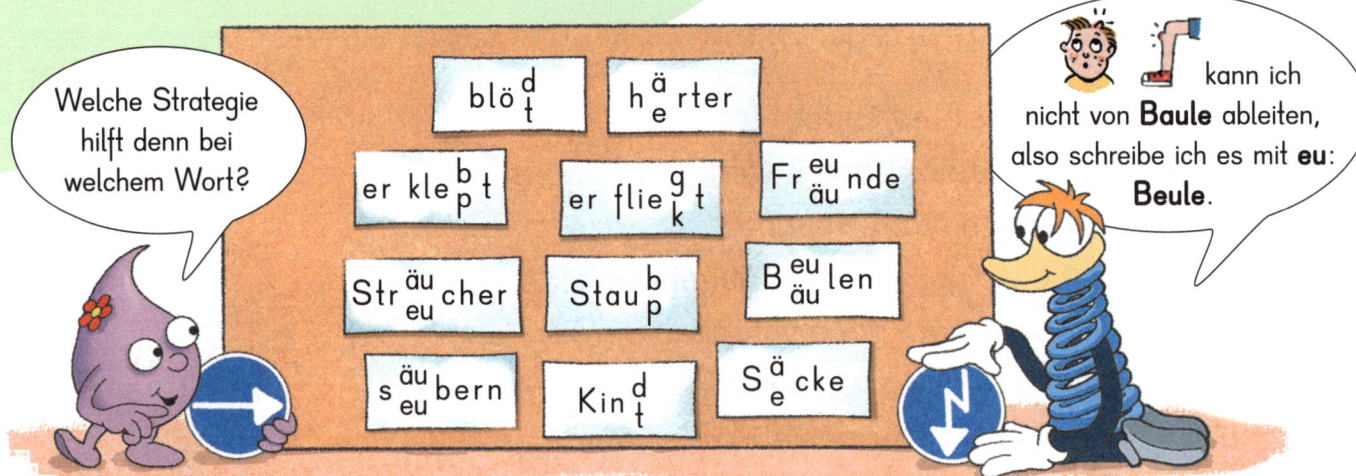

1 Lies die Wörter oben im Bild halblaut.
Schreibe sie nach der Strategie
geordnet ins Heft.

1) ↓	→
Beule – Beulen	Kinder – Kind
sauber – säubern	

2 Lies die Wörter. Überlege, welche Strategie
dir bei der Schreibweise hilft.
Nutze die Strategie und schreibe die Wörter
mit dem passenden Symbol ins Heft.

2) ↓ Angst – ängstlich

ängstlich	eine Fähre	es hält
ein Land	er häult	mutig
es staubt	neugierig	eine Freude
viele Bäuche	gelb	blind
ein Berg	wir sind	sie schreibt

> Wenn du nicht weißt, ob du ein Wort mit **ä** oder **e**,
> **äu** oder **eu** schreibst, kannst du **ableiten**:
> Land → Länder, laufen → läuft, hart → härter, Traum → träumen.

> Wenn du nicht weißt, ob du ein Wort mit **b** oder **p**,
> **d** oder **t**, **g** oder **k** schreibst, kannst du **verlängern**:
> Bilder → Bild, geben → gibt, lustiger → lustig, kleben → Klebstoff.

Ableiten und Verlängern für die richtige Schreibweise nutzen
Wörtern die richtige Strategie zur korrekten Schreibweise zuordnen

Wörter ableiten

1 Welches Wort aus der Wortfamilie hilft dir?
Finde die Wortpaare, setze **ä** oder **äu** ein
und schreibe sie ins Heft.
Markiere **ä** und **a**, **äu** und **au**.

1) kräftig – Kraft

kr█ftig	Braut	W█rmflasche	fangen
Br█tigam	Schaum	Gef█ngnis	warm
h█fig	Kraft	m█chtig	Raum
gesch█mt	grau	aufr█men	rauschen
gr█lich	Haufen	Ger█sch	Macht

2 Beweise mit einem Wort aus der Wortfamilie,
warum die markierten Stellen richtig sind.
Schreibe ins Heft.

2) gläubig – glauben

gläubig	Stängel	Verkäufer	jährlich
glänzend	jämmerlich	bläulich	täuschen

3 Lies den Text.
Überlege, welche Wörter dir bei der Schreibweise helfen
und schreibe sie ins Heft.
Setze dann **ä** oder **e**, **äu** oder **eu** passend ein.

3) wir fahren – fährt

Tilda f█hrt ○○ (wir ...) heute zu Lasse und Kadir.

Die Fr█nde ○○ (ein ...) machen eine Radtour

zum See. An einer Kreuzung erkl█rt ○○ (   ) ihnen

ein L█fer ○○ (   ) den kürzesten Weg. Am See angekommen

schließen sie die R█der ○○ (   ) unter B█men ○○ (   ) ab.

Kadir ist schn█ller ○○ (   ) als die anderen beiden

und l█ft ○○ (   ) als Erster zum Wasser.

4 Suche mit einem Partner die Wörter,
von denen ihr **Mädchen** und **nämlich** ableiten könnt.
Ein Wörterbuch kann euch helfen.

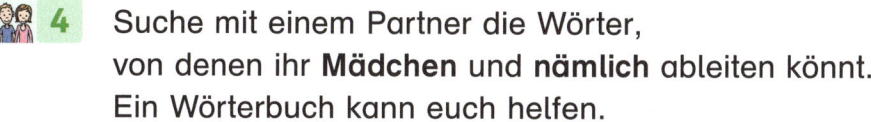

Wort aus der Wortfamilie zuordnen und zum Ableiten nutzen
Mit einem Wort aus der Wortfamilie die Schreibweise belegen
Ableiten für die richtige Schreibweise nutzen

Wörter verlängern

1 Welches Wort hilft dir?
Nutze die Strategie **Verlängern**
und schreibe die Wortpaare ins Heft.

1) viele Käfige – ein Käfig

ein Käfi█	wiegen	er schie█t	tausende
blin█	viele Käfige	ein Krie█	schieben
er wie█t	erlauben	tausen█	empfinden
Erlau█nis	der Blinde	empfin█lich	viele Kriege

Nomen: Plural,
Verben: **wir**-Form,
Adjektive:
1. Vergleichsstufe
oder: Wort aus
der Wortfamilie

2 Zerlege die zusammengesetzten Nomen
und verlängere das erste Nomen.
Schreibe es mit **d** oder **t**, **g** oder **k**, **b** oder **p** ins Heft.

2) Hemden – Hemdkragen

Hem█kragen	Die█stahl
We█weiser	Flu█zeug
Arz█kittel	Lan█straße

3 Verlängere und schreibe die Wörter
mit **d** oder **t**, **g** oder **k**, **b** oder **p** ins Heft.

3) Abende – Abend

Es war ein schöner Aben█. „Die Chance
ist riesi█, dass ich heute gute Beute mache!",
dachte ein schlauer Die█. Ein Museum sollte
das Ziel für seinen Rau█überfall sein. Er hatte
es auf einen wertvollen Kru█ abgesehen.

4 Nutze die Strategie **Verlängern**
und finde einen Fehler in jedem Satz.
Schreibe die Wörter richtig ins Heft.

4) Katalog

Im Katalok sehe ich mir neue Kleidung an.

Beim Unfall hatte sie keine Schult.

Der Junge läuft vorsichtik über den Baum.

Das kleine Kalp ist erst eine Woche alt.

Der Reifen an meinem Fahrrat ist platt.

Meine Lieplingsfarben sind gelb und pink.

Verlängertes Wort aus der Wortfamilie zuordnen und nutzen
Zusammengesetzte Wörter zerlegen und ableiten
Fehler in Sätzen finden

Die passende Strategie nutzen

1 Lies die Wörter. Überlege, welche Strategie dir bei der Schreibweise des Wortes hilft. Nutze die Strategie und schreibe die Wörter mit dem Symbol ins Heft.

1) → Mikroskop

Mikrosko■	P■ckchen
erk■lten	Lie■ling
Ber■hütte	Geschen■papier
r■tselhaft	Verk■fer
Schwieri■keiten	kr■ftig
Schul■gefühl	Schrei■heft
M■nnlein	Begr■bnis

2 Erkläre einem Partner, warum man die markierten Stellen in den Wörtern so schreibt:
Das Wort **Tag** schreibt man mit g, weil ...

Ein Tag in den Ferien

Einmal jährlich im Sommer kommt Olga zu Besuch.

Dann fährt die Mutter mit Jona und Olga

immer zu einem Berg in der Nähe,

um dort am Abend zu picknicken

und den Sonnenuntergang anzusehen.

Olga freut sich schon auf das Abendbrot im Freien.

Die Mutter sagt: „Ich muss erst noch die Wäsche aufhängen."

Dann packt die Mutter den Picknickkorb und es geht los.

An einem See hält die Gruppe an und mutig springt Olga ins Wasser.

Um die Sonne noch zu sehen, müssen sie jetzt schneller weiterlaufen.

An einem schönen Seitenweg entdecken sie einen Picknickplatz.

Hinter dem Bergkamm ragt noch ein Stück der Sonne hervor.

Doch es dauert nicht lang und sie ist verschwunden.

Gleich wird es kalt. Zum Glück gibt die Mutter jedem schnell seine Jacke

und alle genießen das Abendbrot an der frischen Luft.

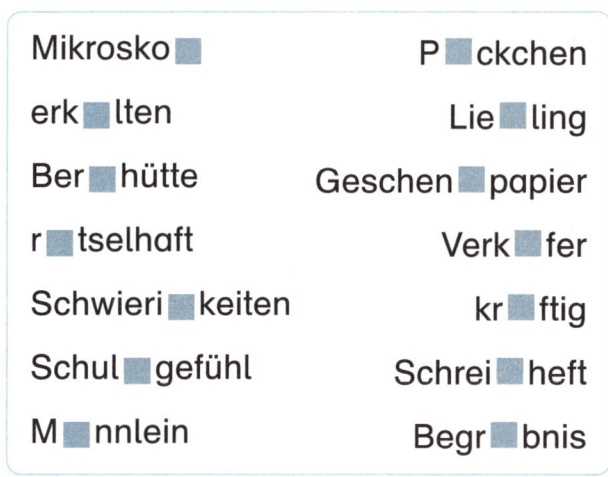

3 Schreibe den Text von Aufgabe 2 ins Heft ab.

3) Ein Tag in den Ferien
Einmal jährlich ...

4 Lass dir von einem Partner zehn markierte Wörter von Aufgabe 2 diktieren.

Rechtschreibstrategien *Ableiten* und *Verlängern* üben
Schreibweise von Wörtern erklären
Einen Text abschreiben und Wörter nach Partnerdiktat schreiben

30

15

Über Rechtschreibung nachdenken ...

1 Mache bei den Wörtern oben aus dem Bild die Nomenprobe mit Adjektiv. Schreibe ins Heft.

1) ein lustiges Kind,

2 Untersuche die markierten Stellen der Wörter mit deinem Rechtschreibfächer.
Klappe zu der Karte **Großschreibung** immer noch die zweite, passende Karte auf.
Lies die Karte und ordne die passende Sprechblase zu.

   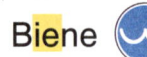       

Das genaue Sprechen in Silben hilft mir bei der Schreibweise.

Ich leite das Wort ab und höre den Buchstaben, der mir sagt, wie das Wort geschrieben wird.

Ich verlängere das Wort und höre den Laut am Ende.

Dieses Wort hat eine Merkstelle.

Dieses Wort hat einen bestimmten Wortbaustein.

3 Welche Strategien helfen dir, die markierten Stellen in den Wörtern zu erklären? Schreibe ins Heft.

aufger**äu**m**t**   **F**rieden   kr**ä**f**t**ig   **E**hrli**ch**ke**it**

Den Rechtschreibfächer kennenlernen
Die Großschreibung von Wörtern erklären
Die Schreibweise von Wörtern mithilfe von Strategien erklären

... und Rechtschreibgespräche führen

4 Suche dir einen Partner.

5 Erklärt euch, warum Flo und das Mädchen oben im Bild
für das Wort **Fahrrad** diese Strategiekarten aufgeklappt haben.
Nehmt euren Rechtschreibfächer zu Hilfe: Wenn du Fahrrad verlängerst, dann ...

6 Lest die Erklärungen für die Schreibweise von **Fahrrad**
in den Sprechblasen und ordnet sie dem passenden Strategiesymbol zu.

Ich kann es verlängern und höre das **d**. **Rad** kommt von **Räder**.

Ich spreche das Wort deutlich in Silben. Dann höre ich **rr**.

Das Wort gehört zur Wortfamilie **fahren**. Deshalb weiß ich, wie man den Wortstamm **Fahr** schreibt.

Fahrrad

Das **h** kann ich nicht hören. Ich habe mir aber gemerkt, dass ein Dehnungs-**h** nur vor **l**, **m**, **n**, **r** stehen kann.

ein großes Fahrrad — viele große Fahrräder, **Fahrrad** ist ein Nomen. Ich schreibe es groß.

7 a) Wählt ein Wort aus. Schaut euch das Wort genau an.

b) Überprüft, welche Strategiekarten euch helfen, die Schreibweise zu erklären.

c) Erklärt euch nacheinander die richtige Schreibweise der schwierigen Stellen.

Geburtstag	Spielzeug	Wohnung	anprobieren
abzählen	billig	ängstlich	abfließen

Mehrere Strategien zur Erklärung der Schreibweise eines Wortes nutzen
Rechtschreibgespräche mithilfe des Rechtschreibfächers führen

31
32

AH S. 36–37

17

Wörter mit schwierigen Stellen merken

Wörter mit **Ch** am Anfang werden ganz unterschiedlich gesprochen. Ich höre **sch**, **ch**, **tsch** und **k**.

Chef   Checkliste   Charakter
China   Cheerleader   Chance
Cheeseburger   Chips   Chor
Chemie   chatten   Chronik
Chamäleon   chic   Chirurg

Du musst sie dir alle gut merken.

---

1 Sprich die Wörter oben im Bild halblaut. Schreibe sie dann geordnet ins Heft.

1) Ch gesprochen wie **sch** oder **ch**	Ch/ch gesprochen wie **tsch**	Ch/ch gesprochen wie **k**
Chef	Checkliste	

---

2 Schreibe die Sätze mit den passenden Wörtern ins Heft. Markiere in den Wörtern das **ai**.

2) Auf den April folgt der Monat M**ai**.

Kaiser	Auf den April folgt der Monat ▮.
Mai	Nicht König, sondern ▮.
Hai	Im Frühjahr legen Fische ihren ▮ in Gewässern ab.
Waise	Der weiße ▮ ist ein gefürchtetes Tier.
Mais	Popcorn macht man aus ▮.
Laich	Ein Kind, das keine Eltern mehr hat, ist eine ▮.

---

3 Erkläre einem Partner, warum man sich die Wörter mit **ai** besonders merken muss.

Manche Wörter haben Stellen, die du dir **merken** musst:
Chips, M**ai**, Hand**y**, we**ch**seln, **Ph**antom, w**ä**hrend, ...

---

4 Schreibe die fehlenden Wörter ins Heft und markiere die Stellen, die du dir merken musst.

4) Hand**y**, ...

Unterwegs telefoniere ich mit meinem .

Im alten Ägypten lebte ein .

Der 🦊 ist ein bekanntes Waldtier.

Wehe, du isst die 🍟 ganz allein auf!

AH S. 38–39
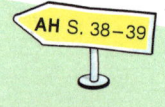

Die unterschiedlichen Lautvarianten von *ch* kennenlernen
Wörter mit dem *ei*-Laut kennenlernen, der als *ai* verschriftet wird
Wörter mit schwierigen Stellen schreiben

Wörter mit schwierigen Stellen üben

✏️ **1** Lies die Wörter in den Wörterschlangen
und schreibe sie ins Heft.
Schreibe die Nomen groß und markiere das **ä**.

1) Gel**ä**nder,

gel**ä**nderbärkäfigkäsemärchenlärmsägemärz

käfertränesäbelkapitänschädelkänguru

währendschrägspätsägenvorwärtsungefähr

> Nomen erkennst du mit der Nomenprobe mit Adjektiv: das lange Geländer.

✏️ **2** Lies den Text
und schreibe ihn ins Heft ab.
Markiere schwierige Stellen.

2) Die Poolpart**y**
   Während meine Freundin ...

Die Poolparty

Während meine Freundin Sophia chattet,
telefoniere ich mit Karl. Er ist mir echt sympathisch.
„Ich mache am nächsten Samstag ab sechs Uhr
eine Poolparty! Zum Essen gibt es Cheeseburger.
Es kann spät werden! Kommst du?", rufe ich ins Handy.
Karl erwidert: „Eine Poolparty im Mai?
Das wird eine Katastrophe!
Du hast wohl die Monate verwechselt.
Erzähl keine Märchen!" Das ist unfair von ihm.
Es bestehen Chancen auf schönes Wetter.
Ich dachte, er hätte einen guten Charakter.
Aber nun benimmt er sich wie der Kaiser von China!
Als mir Tränen in die Augen steigen, beruhigt mich Sophia:
„Das ist nur so eine Phase von ihm. Wenn es regnet,
machst du einfach eine Pyjamaparty!"

3 Wähle von den Seiten 18 und 19
jeweils drei Wörter aus,
die für dich schwierig sind.
Schreibe sie geordnet ins Heft.

3) Ch/ch: ..., ..., ...
   ai:
   chs:
   Ph/ph:
   Y/y:
   ä:

4 Übe die Wörter von Aufgabe 3.
Schreibe jedes Wort fünfmal.

Wörter mit nicht-ableitbarem ä kennenlernen
Einen Text abschreiben und schwierige Stellen in einem Text kennzeichnen
Selbstständig schwierige Wörter zu Phänomenen auswählen und üben

34

19

Wörter trennen

Du trennst Wörter nach Silben:
Man – tel, Sup – pe, hus – ten, flit – zen, klop – fen, ...

Wörter mit nur einer Silbe kannst du nicht trennen: Heft, Tür, ...

Wenn das ganze Wort nicht mehr in eine Zeile passt, kannst du es getrennt schreiben.

April
tapfer
kuscheln
Blume
Kasten   Video
sprechen   kommen
Bär   Wecker   witzig

Du trennst Wörter vor **ch**, **ck** und **sch**:
ba – cken, la – chen, wa – schen, ...

Einzelne Vokale darfst du am Wortanfang und Wortende nicht trennen: Esel, Ra – dio, ...

1 Ordne mit einem Partner die Wörter oben im Bild den passenden Regeln zu.

2 Welche Regel gilt für die Trennung der Wörter?
Schreibe die Regel ins Heft
und ordne die Wörter zu.
Schreibe sie mit Trennstrichen auf.

> 2) Du trennst Wörter nach Silben.
>   Trä-ne,
>   Wörter mit nur einer ...

Du trennst Wörter nach Silben.

Wörter mit nur einer Silbe kannst du nicht trennen.

Du trennst Wörter vor **ch**, **ck** und **sch**.

Einzelne Vokale darfst du am Wortanfang und Wortende nicht trennen.

Träne	Ufer	Sonne
Dieb	Kiste	Ufo
Mütze	brechen	Handy
stapfen	Land	dreckig
aber	Gras	Muschel

3 Finde zu jeder Regel noch ein weiteres Wort.
Ergänze die Wörter in Aufgabe 2.

Du kannst Wörter am Zeilenende trennen. Beachte diese Regeln:
– Du trennst Wörter nach Silben: bö – se, Pup – pe, put – zen, Kas – ten, Ap – fel.
– Wörter mit nur einer Silbe kannst du nicht trennen: Arm, Nuss, Sack.
– Du trennst Wörter vor **ch**, **ck** und **sch**: la – chen, tro – cken, Wä – sche.
– Einzelne Vokale darfst du am Wortanfang und Wortende nicht trennen: Amei – se, Ra – dio.

Vokale sind Selbstlaute.

Regeln für das Trennen von Wörtern am Zeilenende kennenlernen
Wörter den Regeln zur Wörtertrennung zuordnen
Passende Wörter zu den Trennungsregeln finden

Wörter nach Silben trennen

1 Sprich die Wörter deutlich in Silben.
Schreibe die Wörter mit Trennstrichen ins Heft.

a)

Taube	wieder	Ente
fliegen	jemand	welche
Apfel	Körper	hängen
knacken	Biene	rascheln

b)

Blätter	kosten	Katze
lustig	hüpfen	sitzen
husten	Hitze	Mädchen
schmutzig	quaken	schauen

1a) Tau-be,
  b)

2 Sprich die Wörter deutlich in Silben.
Schreibe die Wörter mit Trennstrichen ins Heft.

a) treffen   Treffpunkt

b) rennen   Rennmaus

c) Schnellzug   schneller

d) hoffen   Hoffnung

e) essen   essbar

f) Dummheit   dümmer

g) sammeln   Versammlung

h) Gewissheit   wissen

2a) tref-fen, Treff-punkt
  b)

Bei **tref – fen** endet die erste Silbe zwischen den doppelten Konsonanten.
Bei **Treff – punkt** endet die erste Silbe nach den doppelten Konsonanten.

Konsonanten sind Mitlaute.

3 Erkläre einem Partner, warum **blit-zen** zwischen **t** und **z**
und **Blitz-licht** nach dem **tz** getrennt wird.

Wörter nach Silben trennen
Wörter mit doppelten Konsonanten, *pf* und *tz* trennen
Trennungsregeln erklären

21

Besondere Trennungsregeln anwenden, ...

1 a) In jedem Kasten ist ein Wort, das du nicht trennen darfst.
Zeige es einem Partner.

Urlaub	Abend	Onkel	Ende
Uhu	Adler	Ofen	essen
Umzug	Affe	Ohren	Esel
unter	anders	offen	Eule

Einen Vokal darfst du nicht allein trennen.

b) Überlege mit deinem Partner, warum es nicht sinnvoll ist,
einen einzelnen Vokal abzutrennen.

2 Schreibe die Wörter mit Trennstrichen ins Heft.

Mücke	brechen
rascheln	suchen
löschen	schmecken
trocken	machen

2) Mü-cke,
...

Die Buchstabenverbindungen **sch**, **ch** und **ck** bleiben immer zusammen. Du trennst davor.

3 Schreibe den Text ins Heft ab.
Setze die passenden Wörter
mit Trennstrichen ein.

3) Am Samstagmorgen klingelt
schon sehr früh der We-cker.

Am Samstagmorgen klingelt schon sehr früh der ▦
▦. Jonas und Jonathan stehen auf und ▦
▦ sich. Sie frühstücken und suchen die ▦
▦ fürs Freibad. Schnell haben sie ihre ▦
▦ gepackt. Sie nehmen noch Wasser in ▦
▦ mit. Dann gehen die Jungen erst zum ▦
▦. Dort kaufen sie für den Tag ein paar ▦
▦ Brötchen. Jetzt kann es losgehen!

Taschen

Wecker

leckere

Sachen

Bäcker

waschen

Flaschen

4 Überlege mit einem Partner, warum hier einmal vor **ck**
und einmal nach **ck** getrennt wird.
Achtet auf die Silben und die Trennungsregel zum **ck**.

flicken	Flickzeug	stecken	Stecknadel

Nicht trennbare Wörter mit Vokal am Anfang oder Ende erkennen
Wörter mit *ck*, *ch* und *sch* trennen

... Fehler finden und am Zeilenende trennen

5 Finde in jedem Kasten
zwei falsch getrennte Wörter.
Schreibe sie zusammen oder richtig getrennt ins Heft.
Kontrolliere mit der Wörterliste.

5a) Kat-ze,
b)

a)
Ka – tze
De – cke
O – pa
Bril – le

b)
Oran – ge
drü – cken
nasch – en
nü – tzen

c)
set – zen
Ra – di – o
Bü – cher
Brüc – ke

d)
eck – ig
ver – lie – ren
mei – stens
ge – win – nen

6 Erkläre einem Partner, welche Trennungsregeln
für die Wörter von Aufgabe 5 zutreffen.

7 Lies den Text.
Schreibe die fehlenden Wörter
richtig getrennt ins Heft.
Kontrolliere mit der Wörterliste.

7) Af-fe,

Gestern Abend passierte ein Unglück im Zoo. Ein ▨
▨ brach aus. Er spazierte mit schnellen ▨
▨ zum Ausgang und konnte dann an den ▨
▨ vorbei auf die stark befahrene Straße ▨
▨. Einigen Wärtern gelang es, ihm zu ▨
▨. Sie versuchten, ihn mit Früchten zu ▨
▨. Jedoch interessierte den Affen das ▨
▨ nicht. Er lief an den Autos vorbei zum ▨
▨. Da angekommen blieb das scheue Tier ▨
▨, konnte nicht weiter und wurde eingefangen.

Schritten	Affe
stehen	folgen
locken	Wärtern
Futter	hüpfen
Flussufer	

8 Schreibe den Text von Aufgabe 7 ins Heft ab.
Trenne die Wörter dort, wo bei dir im Heft
die Zeilen enden. Kontrolliere mit einem Wörterbuch.

8) Gestern Abend ...

9 Lass dir von einem Partner zehn Wörter
von den Seiten 22 und 23 diktieren.
Überlege, ob und wo du sie trennen kannst,
und schreibe sie mit Trennstrichen ins Heft.

Falsche Worttrennungen erkennen und verbessern
Wörter getrennt in einen Text einsetzen und kontrollieren
Einen Text abschreiben und selbstständig Trennungen üben

35
36

R3

23

Wörter mit ss, s und ß unterscheiden

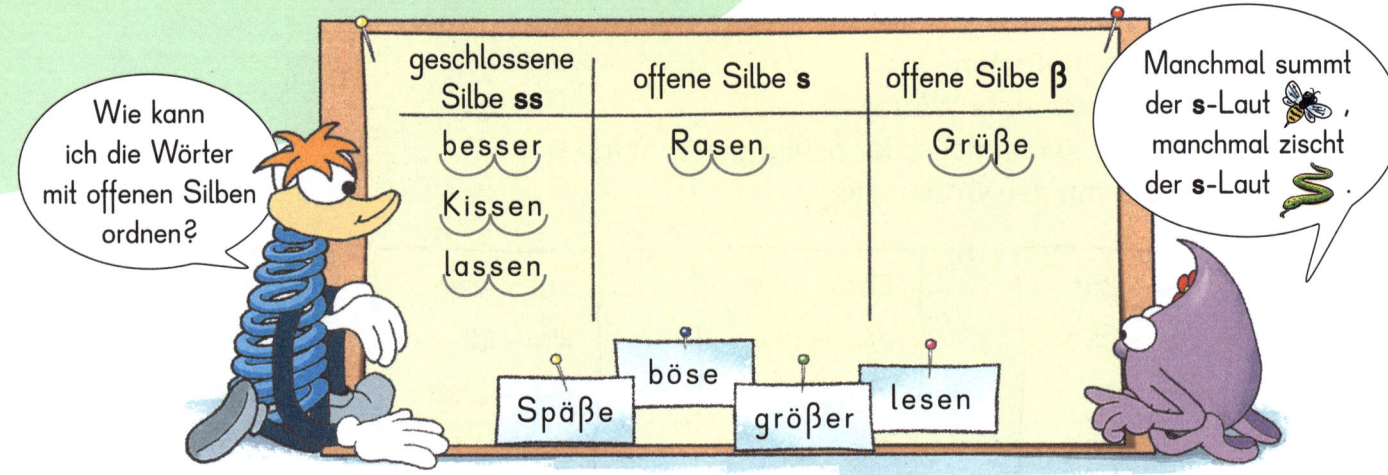

Wie kann ich die Wörter mit offenen Silben ordnen?

geschlossene Silbe **ss**	offene Silbe **s**	offene Silbe **ß**
besser	Rasen	Grüße
Kissen		
lassen		

Späße   böse   größer   lesen

Manchmal summt der **s**-Laut 🐝, manchmal zischt der **s**-Laut 🐍.

---

1 Sprich die Wörter oben im Bild deutlich.
Schreibe die Tabelle ins Heft
und ordne die übrigen Wörter zu.
Markiere die **s**-Laute.

1) geschlossene Silbe **ss**	offene Silbe **s**	offene Silbe **ß**
besser	Rasen	Grüße

2 Sprich die Wörter halblaut und schreibe sie ins Heft.
Zeichne Silbenbögen und markiere den Buchstaben,
mit dem die erste Silbe endet.

2) Klasse,

Klasse	Hose	süßer	Vase	Straße
müssen		Gräser	essen	Füße

Konsonanten sind Mitlaute.
Vokale sind Selbstlaute.

3 Endet die erste Silbe mit einem Konsonanten
und ist der Vokal davor kurz,
dann ist es eine geschlossene Silbe.
Endet die erste Silbe mit einem langen Vokal,
dann ist es eine offene Silbe.
Schreibe die Wörter von Aufgabe 2 geordnet ins Heft.

3) erste Silbe geschlossen	erste Silbe offen
Klasse	Hose

4 Sprich die Wörter von Aufgabe 3
mit einer offenen Silbe noch einmal ganz deutlich.
Summst 🐝 du den **s**-Laut
oder zischst 🐍 du den **s**-Laut?
Schreibe geordnet ins Heft.

4) Wörter mit s	Wörter mit ß
Hose	

Wenn die erste Silbe mit **s** endet, ist sie geschlossen. Du schreibst **ss**,
wenn die zweite Silbe auch mit **s** beginnt: fas sen, Schlüs sel, …

Wenn die erste Silbe mit einem Vokal endet, ist sie offen.
Bei stimmhaftem **s**-Laut 🐝 in der zweiten Silbe schreibst du **s**: Wie se, le sen, …

Bei stimmlosem **s**-Laut 🐍 in der zweiten Silbe schreibst du **ß**: Grü ße, rei ßen, …

Rechtschreibstrategien für Wörter mit ss, s und ß kennenlernen
Offene und geschlossene Silben unterscheiden
Stimmhafte und stimmlose s-Laute unterscheiden

Geschlossene Silben mit ss und offene Silben mit ß erkennen

1 Sprich die Wörter deutlich in Silben.
Schreibe sie nach geschlossenen
und offenen Silben geordnet ins Heft.
Zeichne Silbenbögen. Markiere **ss** und **ß**.

Wasser	heißen	wissen
reißen	küssen	beißen
flüssig	fließen	Flöße
messen	draußen	fressen

> Die Vokale **ie, ei, eu, au** und **äu** sind immer lang.

2 Suche jeweils ein weiteres Wort zu Aufgabe 1.
Ergänze die Tabelle und kontrolliere mit einem Wörterbuch.

3 Verlängere: Ist die erste Silbe geschlossen oder offen?
Schreibe die Wörter mit **ss** oder **ß** ins Heft.

3a) viele Nüsse — Nuss
   ...
   b) noch süßer — süß

a)

Nu☐	Gru☐
Pa☐	Strau☐
Spa☐	Schlo☐
Fu☐	Flu☐

> In der zweisilbigen Form kannst du erkennen, ob du **ss** oder **ß** schreibst.

b)

sü☐	na☐
kra☐	gro☐
hei☐	wei☐

4 Schreibe mit zehn Wörtern von Aufgabe 3
einige Sätze ins Heft.

4) ...

5 In jedem Satz sind 2 Fehler.
Schreibe die falschen Wörter richtig ins Heft.

5) großer, ...

Auf dem Tisch steht ein grosser Strauss Narzissen.

Pia findet das Baby so süss, deshalb küßt und knuddelt sie es.

Nachdem der Hund im Fluß badete, war er pitschnaß.

Wörter mit ß und ss mithilfe offener und geschlossener Silben unterscheiden
Verlängern als Rechtschreibstrategie bei s-Lauten in Nomen und Adjektiven nutzen
Fehler in Sätzen finden

25

Offene Silben mit s oder ß unterscheiden: stimmhaft oder stimmlos

1 Lass dir die Wörter von einem Partner vorsprechen.
Sage ihm, mit welchem **s**-Laut die zweite Silbe beginnt:
wie  oder wie ?

fleißig	Käse	außen	Wiese
leise	Mäuse	schließen	Dose
grüßen	Vase	draußen	heißen

2 Schreibe die Wörter von Aufgabe 1
geordnet ins Heft.
Markiere die **s**-Laute.

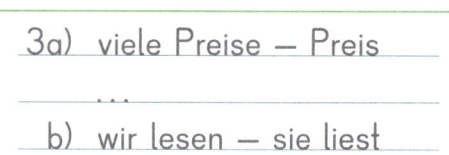

2) Wörter mit stimmhaftem **s**-Laut	Wörter mit stimmlosem **s**-Laut

3 Verlängere, damit du hörst,
mit welchem **s**-Laut die zweite Silbe beginnt.
Sprich die Wörter deutlich
und schreibe sie mit **s** oder **ß** ins Heft.

3a) viele Preise — Preis
  ...
  b) wir lesen — sie liest

a)

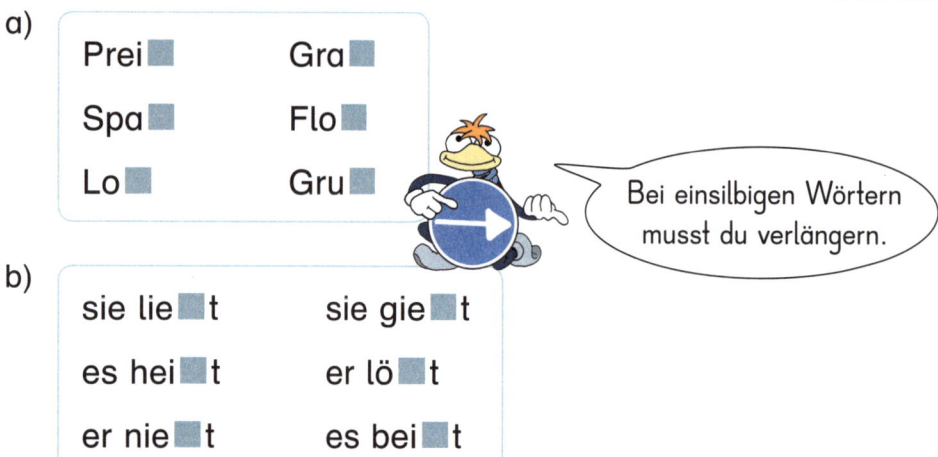

Prei▢	Gra▢
Spa▢	Flo▢
Lo▢	Gru▢

Bei einsilbigen Wörtern musst du verlängern.

b)

sie lie▢t	sie gie▢t
es hei▢t	er lö▢t
er nie▢t	es bei▢t

4 Lies den Text.
Schreibe die Wörter nach stimmhaftem
und stimmlosem **s**-Laut geordnet ins Heft.

4) Wörter mit stimmhaftem **s**-Laut	Wörter mit stimmlosem **s**-Laut

Zwei weiße Mäuse beißen in einen Käse und genießen ihre feine Mahlzeit.

Da kommt auf leisen Pfoten die große Katze von draußen herein.

Die Katze wittert gerade den Fraß, aber plötzlich niest sie ganz laut – oje!

Die weißen Mäuse sausen wie vom Blitz getroffen in ihre Höhle.

5 Erkläre einem Partner,
warum man **verreisen** mit **s** und **zerreißen** mit **ß** schreibt.

Stimmhaftes und stimmloses *s* kennenlernen
Verlängern als Rechtschreibstrategie bei *s*-Lauten in Nomen und Verben nutzen

Geschlossene Silben mit ss und offene Silben mit s oder ß üben

1 Schreibe den Text ins Heft ab.
Setze **s** 🐝, **ss** oder **ß** 🐍 ein
und zeichne Silbenbögen.

> 1) Als Joel von der Schule
> kommt, essen ...

Als Joel von der Schule kommt, e▢en seine Eltern schon.
Sie begrü▢en ihn freundlich. Joel wirft den Schlü▢el auf den Tisch
und setzt sich zu ihnen. Seine Mutter schenkt Wa▢er
in die Glä▢er ein. „Wir haben heute flei▢ig gearbeitet!",
erzählt Joel von der Schule. „Drau▢en im Schulgarten
haben wir die Ro▢en geschnitten. Sunas Ho▢e ist dabei
an einem Strauch hängen geblieben und geri▢en.
Später hat die ganze Kla▢e auf der Wie▢e gefrühstückt."

2 Kontrolliere die ergänzten Wörter von Aufgabe 1 mit der Wörterliste.

3 Lass dir von einem Partner vier Sätze von Aufgabe 1 diktieren.

4 Suche in jedem Satz einen Fehler.
Verlängere und schreibe das Wort richtig ins Heft.

> 4) viele Füße – Fuß

Ali hält seinen Fuss in den Bach.

Anne stöst das Glas um.

Der Kuchen ist sehr süss.

Das Fahrrad hat einen hohen Preiß.

Leyla läßt den Drachen steigen.

Im Sommer ist es oft sehr heiss.

5 Suche dir zwei Kinder für eine Gruppe.
Führt ein Rechtschreibgespräch zu den Wörtern.
Benutzt den Rechtschreibfächer.

Gefäß	bösartig	Flussufer	Fleiß
Reisepass	Außenseiter		Süßigkeit
Esstisch	Großvater	vergesslich	schließlich

6 Wähle von den Seiten 24 bis 27 fünf Wörter, die für dich schwierig sind.
Übe jedes Wort fünfmal.

ss, s und ß in einen Text einsetzen und selbstständig kontrollieren
Einen Text abschreiben und ein Partnerdiktat schreiben
Fehler in Sätzen finden und ein Rechtschreibgespräch führen

Ähnliche Wörter unterscheiden

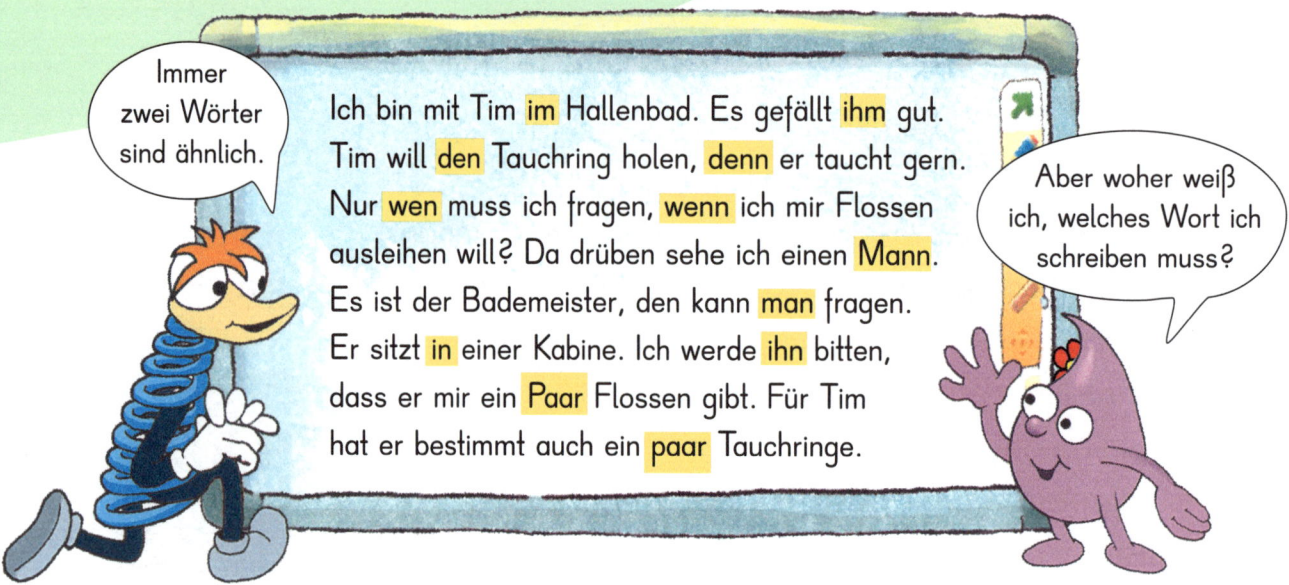

Immer zwei Wörter sind ähnlich.

Ich bin mit Tim im Hallenbad. Es gefällt ihm gut.
Tim will den Tauchring holen, denn er taucht gern.
Nur wen muss ich fragen, wenn ich mir Flossen
ausleihen will? Da drüben sehe ich einen Mann.
Es ist der Bademeister, den kann man fragen.
Er sitzt in einer Kabine. Ich werde ihn bitten,
dass er mir ein Paar Flossen gibt. Für Tim
hat er bestimmt auch ein paar Tauchringe.

Aber woher weiß ich, welches Wort ich schreiben muss?

1 Lies den Text oben im Bild.
Schreibe die markierten Wörter
als Paare ins Heft.
Sprich die Wörter deutlich
mit kurzem oder langem Vokal.

1) im – ...

2 Sprich die Wörter deutlich und setze sie in die Sätze ein.
Woher weißt du, welches Wort an welche Stelle gehört?
Erkläre es einem Partner.

denn	wenn	ihm	wen	den	im

Ich spiele gern draußen, **wenn** die Sonne scheint.

„____ willst du heute treffen?", fragt mein Vater.

Ich antworte ____ : „Simon kann heute nicht

in ____ Skaterpark kommen,

____ er hat sich seinen Knöchel verstaucht.

Nun liegt der Arme ____ Bett."

Vokale sind Selbstlaute.

Manche ähnliche Wörter kannst du durch deutliches Sprechen
richtig schreiben. Mache die Klangprobe und achte darauf, ob du
den **Vokal kurz** oder **lang** sprichst: im – ihm, in – ihn, denn – den, wenn – wen.

Bei anderen ähnlichen Wörtern, die gleich klingen, musst du prüfen, ob sie
zum **Sinn** des Satzes passen: Er ist ein netter Mann. Ihn muss man einfach mögen.
Ich arbeite ein paar Stunden im Garten. Ich nehme ein Paar Handschuhe mit.

AH S. 40

Für ähnlich bzw. gleich klingende kurze Wörter sensibilisiert werden
Ähnlich klingende Wörter durch deutliches Sprechen identifizieren
Gleich klingende Wörter sinngemäß einsetzen

Mann und man unterscheiden

1 Schreibe die Sätze ins Heft
und setze dabei **Mann** oder **man** ein.

1) Der Mann ...

 Der ▮▮ fährt mit dem Auto.

 Das ist ja ein großer ▮▮!

 Frau Krause ruft, dass ▮▮ nicht auf dem Rasen spielen darf.

Mann = jemand ganz Bestimmtes,
man = alle Menschen allgemein.

 Mit zehn Jahren darf ▮▮ noch nicht Auto fahren.

 Ich bin noch nicht sehr groß. Da kann ▮▮ nichts machen!

 Der ▮▮ mit dem Hut mäht den Rasen.

2 Wann hast du in Aufgabe 1 **Mann** oder **man** eingesetzt?
Erkläre es einem Partner.

3 Lies den Text einem Partner vor.
Sage ihm, ob du **Mann** oder **man** einsetzt.

Heute Morgen hat mein Vater gesagt:
„Wenn die Sonne scheint, sollte ▮▮ nicht zu Hause bleiben!"
Also machen wir heute einen Ausflug zum Drachenfels.
„Kann ▮▮ auf dem Drachenfels echte Drachen beobachten?",
will ich wissen. „Nein", sagt meine Mutter.
„Wir werden dort nachfragen, warum ▮▮ den Berg so nennt.
Du kannst aber auch deinen Vater fragen.
Er ist ein kluger ▮▮."
Dann sind wir da. Am Parkplatz steht ein ▮▮
und zeigt uns den Weg hoch zur Burgruine.
„Ich habe schon als junger ▮▮ angefangen,
hier zu arbeiten. Ich kann euch alles über den
Drachenfels erzählen, was ▮▮ wissen sollte", sagt er.
Wir bedanken uns bei dem freundlichen ▮▮.

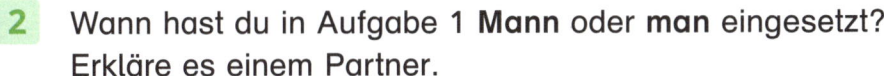

4 Schreibe zwei Sätze mit **Mann** und zwei Sätze mit **man** ins Heft.

Mann und *man* im semantischen Kontext unterscheiden
Mann und *man* in eigenen Sätzen richtig gebrauchen

im und ihm, in und ihn unterscheiden

1 Lies die Sätze einem Partner vor.
Sprich **im** und **ihm** besonders deutlich.

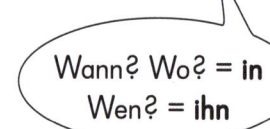

Wo? Wann? = **im**
Wem? = **ihm**

Mein Freund Luke ist (Wo?) 〇〇 ▮ Schwimmbad.

Ich gebe (Wem?) 〇〇 ▮ einen Tauchring.

Der Ring sieht (Wo?) 〇〇 ▮ Wasser ganz groß aus.

Luke kann gut schwimmen, aber es fällt (Wem?) 〇〇 ▮ schwer

zu tauchen. Er taucht unter, aber (Wann?) 〇〇 ▮ letzten Moment

geht (Wem?) 〇〇 ▮ die Luft aus.

Wann? Wo? = **in**
Wen? = **ihn**

2 Lies die Sätze einem Partner vor.
Sprich **in** und **ihn** besonders deutlich.

Mein Hund liegt nicht (Wo?) 〇〇 ▮ seinem Körbchen.

Ich habe (Wen?) 〇〇 ▮ schon gerufen.

Da habe ich eine Idee und schaue (Wo?) 〇〇 ▮ meinem Zimmer nach. Dort

finde ich (Wen?) 〇〇 ▮ auf meinem Bett.

Das habe ich Hasso (Wann?) 〇〇 ▮ der letzten Zeit immer verboten.

Jetzt verscheuche ich (Wen?) 〇〇 ▮ schon wieder von meinem Bett.

3 Schreibe den Text ins Heft
und setze **im** oder **ihm**, **in** oder **ihn**
in den Text ein.

> 3) Mein kleiner Bruder ...

Mein kleiner Bruder ist nicht gern allein ▮ seinem Zimmer.

Deshalb frage ich ▮ oft, ob wir zusammen spielen wollen.

Es macht mir Spaß, mit ▮ zu spielen. Wenn ich ▮

an seinen Füßen kitzle, muss er lachen.

Früher waren wir oft zusammen ▮ der Badewanne.

Mama wollte ▮ immer die Haare waschen,

aber das hat ▮ wütend gemacht.

Er wollte lieber ▮ Wasser spielen und planschen.

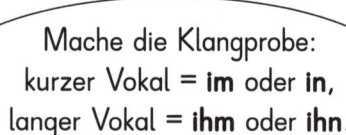

Mache die Klangprobe:
kurzer Vokal = **im** oder **in**,
langer Vokal = **ihm** oder **ihn**.

4 Schreibe vier Sätze mit **im**, **ihm**, **in** und **ihn** ins Heft.
Jedes Wort soll einmal vorkommen.

im/ihm und in/ihn mithilfe von Fragewörtern richtig einsetzen
im/ihm und in/ihn mithilfe der Klangprobe richtig einsetzen
im/ihm und in/ihn in eigenen Sätzen richtig gebrauchen

Ähnliche Wörter in Texte einsetzen

1 Lies die Sätze einem Partner vor
und setze dabei die passenden Wörter ein.

denn   den

Im Zirkus mag ich am liebsten **den** Clown,
▨ der ist immer lustig.

im   ihm

Leon sieht eine Spinne ▨ Klassenzimmer,
aber sie macht ▨ keine Angst.

wenn   wen

▨ ich mich mit Semra treffe, will sie immer wissen,
▨ ich von den Jungen am liebsten mag.

Paar   paar

Oma und Opa sind schon seit vielen Jahren ein ▨.
Ich fahre gern für ein ▨ Tage zu ihnen.

in   ihn

Manchmal spiele ich ▨ der Pause mit Tilo,
aber am Nachmittag treffe ich ▨ nie.

Mann   man

Mein Vater ist ein wirklich kluger ▨ und ich bin
so froh, dass ▨ ihn alles fragen kann.

2 Lass dir von einem Partner vier Sätze von Aufgabe 1 diktieren.

3 Schreibe den Text ins Heft ab.
Setze dabei die fehlenden Wörter ein.

> 3) Hamid will heute ein paar Bücher ...

paar	Mann	im	man	ihm	in	wenn
den	Paar	denn	paar	wen	ihn	

Hamid will heute ein ▨ Bücher ▨ der Stadtbücherei ausleihen.

Seine Mutter begleitet ▨. Es gefällt ▨ gut,

sich mit ihr ▨ Erdgeschoss der Bücherei umzuschauen.

Hamids Mutter sagt: „Da vorne ist ein ▨, der hier arbeitet.

Den kann ▨ um Hilfe bitten." Hamid mag ▨ Autor Ingo Siegner,

▨ der hat schon viele tolle Bücher geschrieben.

„Die Ratten Elliot und Isabella sind ein lustiges ▨!", sagt Hamid.

„Ich will noch ein ▨ Geschichten von ihnen lesen."

▨ er groß ist, möchte Hamid vielleicht auch Geschichten schreiben.

Mal sehen, ▨ er dann als Hauptperson nimmt.

Ähnliche Wörter in Sätze einsetzen
Ein Partnerdiktat schreiben
Ähnliche Wörter in einen Text einsetzen und einen Text abschreiben

Wortbausteine am Anfang und am Ende

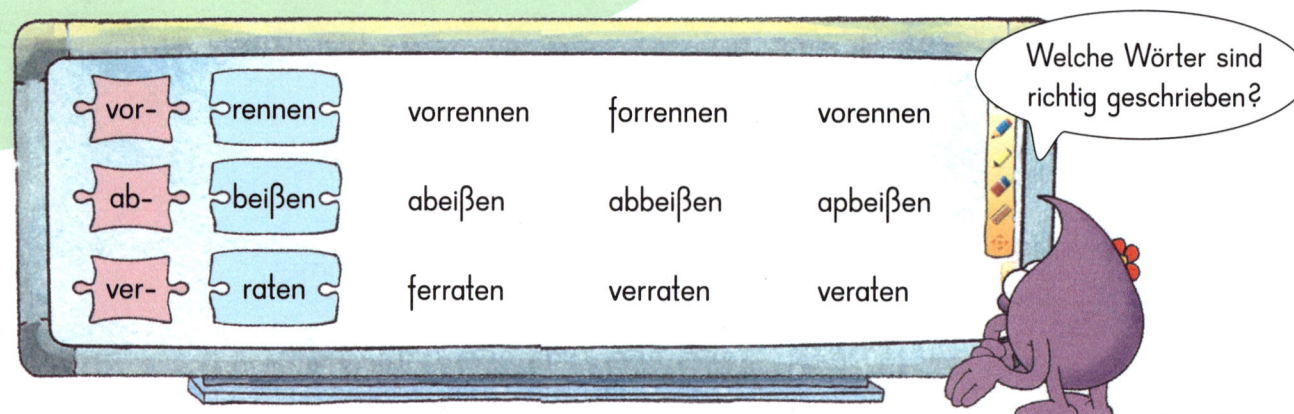

vor-	rennen	vorrennen	forrennen	vorennen
ab-	beißen	abeißen	abbeißen	apbeißen
ver-	raten	ferraten	verraten	veraten

Welche Wörter sind richtig geschrieben?

1 Zeige einem Partner oben im Bild die Verben, die richtig geschrieben sind.

2 Benutzt den Rechtschreibfächer und führt ein Rechtschreibgespräch zu den Wörtern im Bild.

3 Suche in der wörtlichen Rede das Verb mit dem getrennten Wortbaustein. Setze dieses Verb zusammengesetzt ein. Schreibe beide Formen ins Heft.

> 3) führt ... auf – aufführen

Alenka fragt Luise: „Wann führt ihr das Theaterstück auf ?"
Luise antwortet: „Ich weiß noch nicht, wann wir es ▭ ."

Der Lehrer sagt: „Nils, rechne die Aufgabe einmal vor ."
Nils fragt: „Kann ich sie vielleicht an der Tafel ▭ ?"

Die Mutter ruft: „Schalte bitte den Computer aus !"
Nora nörgelt: „Immer muss ich den Computer ▭ !"

Der Arzt sagt: „Nimm vor dem Essen eine Tablette ein ."
Lale fragt: „Muss ich die Tablette heute Abend noch ▭ ?"

4 Enden die Adjektive mit dem Wortbaustein **-ig** oder **-lich**? Verlängere: Bilde die 1. Vergleichsstufe und schreibe die Wörter mit **-ig** oder **-lich** ins Heft.

> 4) noch fleißiger – fleißig

Eva ist sehr fleißi▭.

Ich bin echt sportli▭.

Mein Bruder ist muti▭.

Oma ist oft ängstli▭.

Wortbausteine am Anfang von Wörtern heißen auch Vorsilben. Wortbausteine am Ende von Wörtern heißen auch Nachsilben.

Verben mit Wortbausteinen erkennen, bei denen gleiche Konsonanten zusammentreffen
Verben mit Wortbausteinen bilden
Die Vergleichsstufe von Adjektiven zur Schreibung nutzen

Wörter mit Ver-/ver- und Vor-/vor- bilden

1 Bilde aus den Wortbausteinen **ver-** und **vor-**
und den Verben neue Verben.
Schreibe sie geordnet ins Heft.

1) ver- | vor-
verlaufen | vorlaufen

laufen	fahren	tragen
sagen	malen	schicken
schieben	sprechen	schreiben

Die Wortbausteine **ver-** und **vor-** schreibst du mit **v**.

2 Bilde mit dem Wortbaustein **Vor-/vor-**
und den Wörtern neue Nomen, Verben oder Adjektive.
Schreibe den Text ins Heft und setze dabei
die Wörter in der passenden Form ein.

2) Es ist 12 Uhr
und der Vormittag ...

| bereiten | Name | drängeln | Mittag | Hang | eilig | Führung | Speise |

Es ist 12 Uhr und der ▯ ist zu Ende.

Der Koch der Schulküche hat das Mittagessen ▯.

Emilia hat großen Hunger und will sich ▯.

Frau Simon sagt: „Emilia, sei nicht so ▯!"

Als ▯ gibt es Suppe.

Nach der Mittagspause gehen alle
zu einer ▯ in die Aula.

Frau Simon nennt die ▯ aller Kinder
und prüft, ob alle da sind.

Dann geht der ▯ auf und das Theaterstück beginnt.

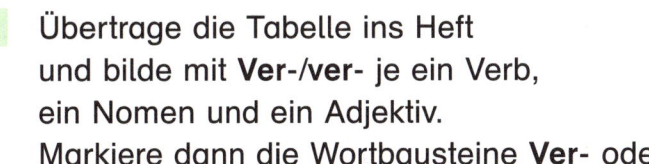

3 Übertrage die Tabelle ins Heft
und bilde mit **Ver-/ver-** je ein Verb,
ein Nomen und ein Adjektiv.
Markiere dann die Wortbausteine **Ver-** oder **ver-**.

	Verb	Nomen	Adjektiv
raten	▯	der Verrat	verräterisch
tragen	▯	▯	▯
kaufen	▯	▯	▯
trauen	▯	▯	▯
rücken	▯	▯	▯

Verben mit Wortbausteinen *ver-* und *vor-* bilden
Wörter mit Wortbausteinen *ver-* und *vor-* in einen Text einsetzen
Mit dem Wortbaustein *ver-* Nomen, Verben und Adjektive bilden

33

Gleiche Konsonanten bei Zusammensetzungen beachten

1 Bilde Verben mit den Wortbausteinen und schreibe sie geordnet ins Heft.

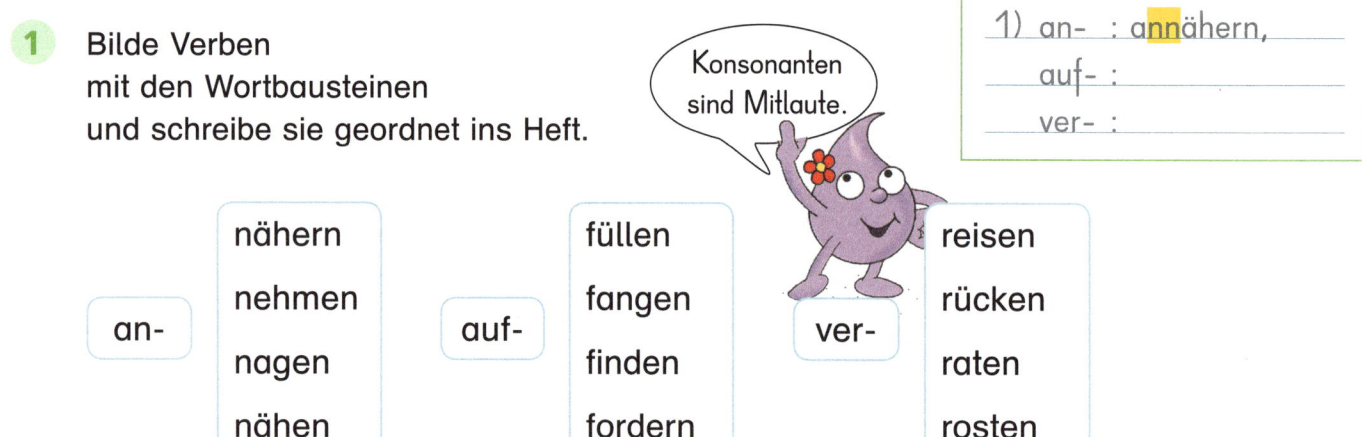

Konsonanten sind Mitlaute.

1) an- : annähern,
auf- :
ver- :

an-	nähern nehmen nagen nähen	auf-	füllen fangen finden fordern	ver-	reisen rücken raten rosten

2 Markiere in den Verben von Aufgabe 1 den letzten Buchstaben des Wortbausteins und den ersten Buchstaben des Verbs.

3 Suche jeweils im ersten Satz die Verben und die Wortbausteine. Schreibe jeweils den zweiten Satz ins Heft und setze dabei dieses Verb zusammengesetzt ein.

3a) Alend kann mit den Fäusten viele Bälle abblocken.
b)

a) Die Verteidiger blocken den Angriff ab.
Alend kann mit den Fäusten viele Bälle ___.

b) Meine Oma näht ein Namensschild in meinen Pullover ein.
Für die Klassenfahrt muss sie Schilder in alle meine Sachen ___.

c) Unsere Rennmaus nagt gern Papprollen an.
Die Kabel in unserer Wohnung darf sie nicht ___.

d) Ich beiße ein Stück vom Apfel ab.
Danach lasse ich meinen kleinen Bruder ___.

e) Lucies neues T-Shirt fällt ihrer Freundin auf.
Lucie sagt: „Ich wusste, dass dir mein T-Shirt ___ würde!“

f) Emmy führt heute mit ihrer Tanzgruppe ein neues Stück auf.
Sie freut sich, dass sie dabei ein Solo ___ darf.

Treffen zwei gleiche Konsonanten aus Wortbaustein und Verb zusammen, musst du beide schreiben.

4 Markiere jeweils im zweiten Satz von Aufgabe 3 den letzten Buchstaben des Wortbausteins und den ersten Buchstaben des Verbs.

5 Bilde Wörter mit dem Wortbaustein **auf-** und einem Verb, das mit **f** beginnt. Schreibe ins Heft: aufführen, …

AH S. 42

Verben mit Wortbausteinen bilden, bei denen gleiche Konsonanten zusammentreffen
Gleiche Konsonanten am Ende des Wortbausteins und am Anfang des Verbs markieren

Wortbausteine am Ende von Adjektiven

1 Bilde zu den Nomen Adjektive mit den Wortbausteinen -**ig**, -**lich** oder -**isch** am Wortende und schreibe sie ins Heft. Markiere die Wortbausteine am Ende.

> Wortbausteine am Ende von Wörtern heißen auch Nachsilben.

> 1) -ig : eckig,
> -lich :
> -isch:

| -ig | Ecke Fleiß Schmutz Vorsicht | | -lich | Angst Schreck Frieden Grund | | -isch | Hektik Kritik Laune Aroma |

2 Schreibe den Text ins Heft. Bilde aus den Nomen Adjektive mit den Wortbausteinen -**ig**, -**lich**, -**isch**, -**los**, -**bar** oder -**sam** und setze sie in den Text ein.

> 2) Die Probe für das Theaterstück lief heute chaotisch.

| Chaos Fassung Ruhe Problem schweigen vergessen Anstand Dank | Die Probe für das Theaterstück lief heute ▨. Die Lehrerin der Klasse 4c ist ▨ und sagt: „Jetzt setzt euch alle mal ganz ▨ hin! Warum ist es so ▨, den Text zu lernen?" Die Kinder schauen nur ▨. „Ihr seid doch sonst nicht so ▨!", sagt sie. „Lernt ▨! Sonst fällt die Aufführung aus." Die Kinder sind ▨, dass sie noch üben dürfen. |

> Wenn ein Wort einen dieser Wortbausteine am Ende hat, ist es ein Adjektiv. Du schreibst es klein.

3 Markiere in den eingesetzten Wörtern von Aufgabe 2 die Wortbausteine am Ende.

4 Suche dir zwei Kinder für eine Gruppe. Findet jeweils drei Adjektive mit den Wortbausteinen -**ig**, -**lich**, -**isch**, -**los**, -**bar** oder -**sam** und schreibt sie ins Heft.

> 4) ...

5 Bilde zu den Nomen **Furcht**, **Wunder** und **Schreck** möglichst viele Adjektive mit Wortbausteinen am Ende. Schreibe ins Heft.

> 5) furchtlos, ...

6 Wähle von den Seiten 32 bis 35 fünf Wörter aus, die für dich schwierig sind. Übe jedes Wort fünfmal.

Zu Nomen Adjektive mit den Wortbausteinen -ig, -lich oder -isch bilden
Zu Nomen Adjektive mit den Wortbausteinen -los, -bar, -sam bilden
Wortbausteine am Ende von Adjektiven markieren

41 42   AH S. 43   R5

Mit Rechtschreibstrategien und Regeln ...

Am Computer kann ich die falschen Wörter gleich erkennen.

Beim Ausflug im Regen hat Ira sich wohl erkeltet. Ihre Wangen glüen vor Fieber, wehrend sie schläft. Ihre Mutter kann sie kaum wecken. Ferregnete Ausflüge sind blöt.

Viele Fehler kannst du auch ohne Wörterliste oder Wörterbuch verbessern.

1 Sprich mit einem Partner über die Fehler in Floras Text. Welche Strategien oder Regeln helfen euch? Schreibt die Wörter mit dem passenden Symbol ins Heft.

1) (Regel) — we-cken
◡ — ...

Regel

2 Nutze die Strategie **Verlängern**  und sprich die Wörter in **Silben** ◡. Finde die richtigen Wörter und schreibe sie ins Heft.

2) wir verzeihen — er verzeiht

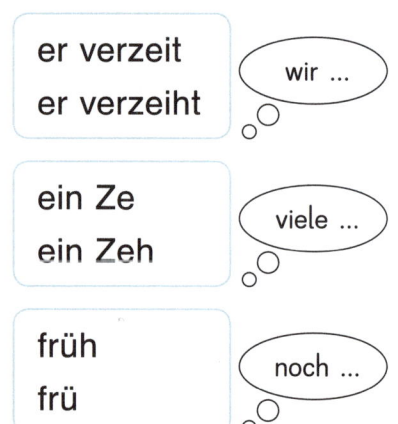

er verzeit
er verzeiht — wir ...

ein Ze
ein Zeh — viele ...

früh
frü — noch ...

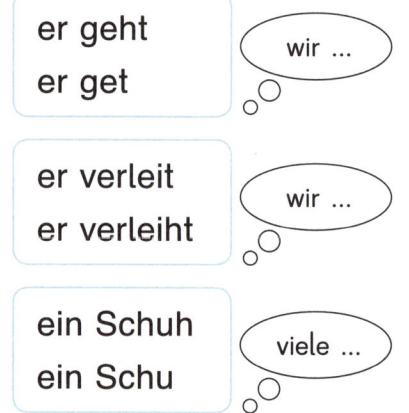

er geht
er get — wir ...

er verleit
er verleiht — wir ...

ein Schuh
ein Schu — viele ...

3 Nutze die Strategien **Wortbausteine** 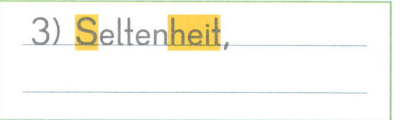 und **Auf Großschreibung achten** . Finde die sechs falschen Nomen und schreibe die Wörter richtig ins Heft.

3) Selten<mark>heit</mark>,

Dass ein Paar 50 Jahre verheiratet ist, ist eine seltenheit. Meine Großeltern verbindet eine lange freundschaft. Ihre erlebnisse in 50 Jahren haben sie in einem Buch aufgeschrieben. Das Buch ist für sie wie ein heiligtum. Irgendwann wollen sie diese sammlung vielleicht der öffentlichkeit zu lesen geben.

4 Markiere in Aufgabe 3 den Anfangsbuchstaben und den Wortbaustein.

Wörter mithilfe von Rechtschreibstrategien und Regeln verbessern
Die Rechtschreibstrategie *Verlängern* für die richtige Schreibweise nutzen
Die Strategien *Mit Wortbausteinen arbeiten* und *Auf Großschreibung achten* nutzen

... kontrollieren und verbessern

5 Nutze die Strategie **Ableiten** 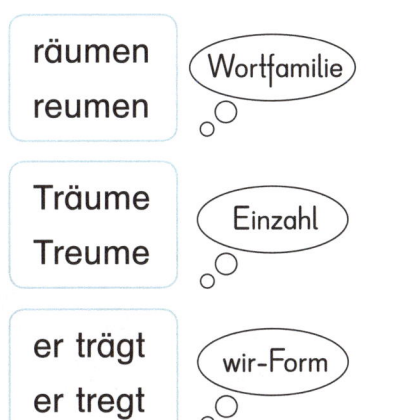.
Finde die richtigen Wörter
und schreibe sie ins Heft.

5) der Raum — räumen

räumen / reumen	*Wortfamilie*	herter / härter	*Grundform*
Träume / Treume	*Einzahl*	kräftig / kreftig	*Wortfamilie*
er trägt / er tregt	*wir-Form*	Rätsel / Retsel	*Wortfamilie*

6 Nutze die Strategien
Mit Silben arbeiten 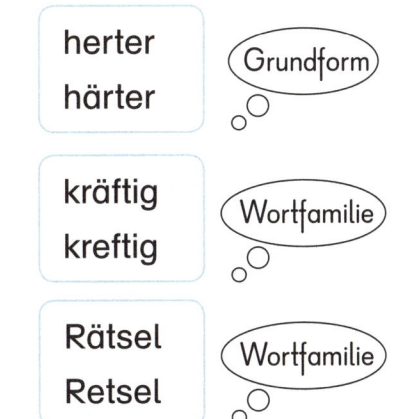 und **Verlängern** .

6a) viele Schlösser — Schloss, b)

a) Verlängere:
Ist die erste Silbe **offen** oder **geschlossen**?
Schreibe das richtige Wort ins Heft.

Schloss / Schloß	er heisst / er heißt	gross / groß

b) Verlängere, damit du hörst,
mit **welchem s-Laut** die zweite Silbe beginnt.
Schreibe das richtige Wort ins Heft.

heis / heiß	Preis / Preiß	es beist / es beißt

7 Nutze die Strategie **Wortbausteine**
und die **Regeln zur Trennung** von Wörtern.
Du findest sie auf Seite 20 in diesem Heft.
Schreibe die fünf falschen Wörter richtig
und mit Trennstrichen ins Heft.

7) über-re-den,

Emil will seine Mutter dazu übereden, dass er
an den Computer darf. „Du hast es versproch-
en!", sagt er. „Zuerst musst du deine Tasche pac-
ken!", sagt sie. „Sonst können wir nicht vereisen.
Ich musste dich jetzt schon so oft auffordern."

Die Rechtschreibstrategie *Ableiten* für die richtige Schreibweise nutzen
Die Strategien *Mit Silben arbeiten* und *Verlängern* nutzen
Fehler mit der Strategie *Wortbausteine* und den Trennungsregeln erkennen

Einen Text in der Gruppe kontrollieren ...

 1 Suche dir zwei Kinder für eine Gruppe.

 2 Korrigiert gemeinsam die Fehler.
Nutzt die Strategien
und schreibt die Wörter richtig ins Heft.

2) Hindernissen

Ausflug mit hindernissen

Heute ist Ninas Geburstag.

Sie hat ihre Fräunde eingeladen.

Mit Tom, Medi und Pia macht sie eine fahrt ans Meer.

Schnell hat Tom eine grose Muschel gefunden.

Sie siet so ähnlich aus wie ein Schneckenhaus.

Er übereicht Nina die Muschel.

„Das ist richtich nett von dir!", sagt Nina.

„Eine ähnliche Muschel habe ich mal ferloren."

 3 Überlegt, welche Strategie euch hilft,
die richtige Schreibweise für die falschen
Wörter zu finden. Schreibt die Wörter richtig
mit dem passenden Symbol ins Heft.

3) Zeit

Beim Reden haben Nina und Tom die zeit vergessen.
Pia und Medi sind schon weit forgegangen.
Ninas Mutter schreit: „Seid ihr verückt?
Ihr seid viel zu weit vom Strant weg!"
Die Kinder sten mit den Füßen im Wasser.
„Gerade ist noch Ebe, doch gleich komt die Flut.
Dan strömt das wasser wieder heran.
Das kann schnel gefehrlich werden!", erklärt die Mutter.

Fehlersensibilität mithilfe vorgegebener Strategiesymbole entwickeln
Fehler identifizieren und mithilfe von Strategien verbessern

... und verbessern

4 Findet einen Fehler in jeder Zeile.
Schreibt die Wörter mit dem Symbol richtig ins Heft.

4) → steigt

→ Die Flut kommt und das Wasser steikt schnell.

↓ „Hört auf zu treumen und kommt!",

⊓⊔ brüllt Ninas Vater ferzweifelt.

⊓⊔ Tom sagt: „Wenn wir rennen, ereichen wir

⊓⊔ ᵃ͟A die anderen." Aber das Wasser ist zum hindernis

→ geworden und versperrt den Rückwek zum Strand.

! „Das ist eine Katastrofe!", brüllt Nina.

∿ „Durch dieses tiefe Waßer kommen wir nie!"

∿ Immer höer steigt die Flut. Tom bittet Nina:

⊓⊔ → „Wir müssen jetzt wirklich mutik sein."

↓ „Es ist mir ein Retsel, wie wir von hier

∿ drausen zurückkommen sollen!", schreit Nina.

! Wehrend sie dastehen, kommt Ninas Vater

↓ angerannt. Er nimmt die beiden hoch und tregt

→ ∿ sie durch das Wasser. „Get nie wieder so weit

→ ∿ von uns weg!", schimpft er. „Das war kein Spas.

↓ Ebbe und Flut sind wirklich sehr gefehrlich."

Du kannst deinen Rechtschreibfächer als Hilfe benutzen.

5 Erklärt euch gegenseitig:

a) Warum schreibt man **auffüllen** mit **ff**?

b) Warum schreibt man **abbeißen** mit **ß** und **abreisen** mit **s**?

c) Warum sind beide Trennungen möglich: **The – ater** und **Thea – ter**?

Fehlersensibilität mithilfe vorgegebener Strategiesymbole entwickeln
Rechtschreibstrategien für die richtige Schreibweise nutzen
Fehler identifizieren und mithilfe von Strategien verbessern

R6

44

39

A | B | C | D | E | F | G | H | I | J | K | L | M | N | O | P | Qu | R | S | T | U | V | W | X | Y | Z

A a

ab|bau|en   er baut
ab, er hat ab|ge|baut,
er bau|te ab
ab|bei|ßen
sie beißt ab,
sie hat ab|ge|bis|sen,
sie biss ab
der **Abend**   die Aben|de,
das Abend|es|sen,
die Abend|stun|de
aber
ab|rei|sen   er reist
ab, er ist ab|ge|reist,
er reis|te ab
der **Ad|ler**   die Ad|ler
der **Af|fe**   die Af|fen
ähn|lich   ähn|li|cher,
am ähn|lichs|ten
das **Al|pha|bet**
das **Al|ter|tum**
die **Amei|se**
die Amei|sen
an|ders
die **Angst**   die Ängs|te
ängst|lich
ängst|li|cher,
am ängst|lichs|ten
an|na|gen   es nagt
an, es hat an|ge|nagt,
es nag|te an
an|nä|hen   er näht
an, er hat an|ge|näht,
er näh|te an
sich **an|nä|hern**   er nä|hert
sich an, er hat sich
an|ge|nä|hert,
er nä|her|te sich an
an|neh|men
sie nimmt an, sie hat
an|ge|nom|men, sie
nahm an

an|stän|dig
an|stän|di|ger,
am an|stän|digs|ten
sich **an|zie|hen**   er zieht
sich an, er hat sich
an|ge|zo|gen,
er zog sich an
der **Ap|fel**   die Äp|fel
der **Ap|ril**
sich **är|gern**
er är|gert sich,
er hat sich ge|är|gert,
er är|ger|te sich
aro|ma|tisch
aro|ma|ti|scher,
am aro|ma|tischs|ten
der **Arzt**   die Ärz|te
die **Ärz|tin**
die Ärz|tin|nen
auf|fal|len
er fällt auf,
er ist auf|ge|fal|len,
er fiel auf
auf|fan|gen
er fängt auf,
er hat auf|ge|fan|gen,
er fing auf
auf|fin|den
er fin|det auf,
er hat auf|ge|fun|den,
er fand auf
auf|for|dern
sie for|dert auf,
sie hat auf|ge|for|dert,
sie for|der|te auf
auf|fül|len
er füllt auf,
er hat auf|ge|füllt,
er füll|te auf
aus|schal|ten
er schal|tet aus,
er hat aus|ge|schal|tet,
er schal|te|te aus

B b

das **Ba|by**   die Ba|bys
ba|cken   sie backt,
sie hat ge|backen,
sie back|te,
das Ge|bäck
der **Bä|cker**   die Bä|cker
die **Bak|te|rie**
die Bak|te|ri|en
bald
der **Bär**   die Bä|ren
der **Baum**
be|gin|nen
er be|ginnt,
er hat be|gon|nen,
er be|gann
be|grü|ßen
sie be|grüßt,
sie hat be|grüßt,
sie be|grüß|te
bei|de
bei|ßen   er beißt, er
hat ge|bis|sen, er biss
das **Bei|spiel**
die Bei|spie|le
die **Be|kannt|schaft**
die Be|kannt|schaf|ten
bel|len   er bellt, er
hat ge|bellt, er bell|te
der **Berg**   die Ber|ge
der **Be|sen**   die Be|sen
das **Be|sitz|tum**
die Be|sitz|tü|mer
be|son|ders
bes|ser
be|stimmt
be|su|chen
sie be|sucht,
sie hat be|sucht,
sie be|such|te
die **Beu|le**   die Beu|len
be|vor

be|zah|len
er be|zahlt,
er hat be|zahlt,
er be|zahl|te
bie|gen   sie biegt,
sie hat ge|bo|gen,
sie bog
blau   bläu|lich
blei|ben   er bleibt,
er ist ge|blie|ben,
er blieb
bli|cken   er blickt,
er hat ge|blickt,
er blick|te
der **Blitz**   die Blit|ze,
das Blitz|licht
blit|zen   es blitzt,
es hat ge|blitzt,
es blitz|te, blitz|ar|tig
blöd   blö|der,
am blö|des|ten
blü|hen   es blüht,
es hat ge|blüht,
es blüh|te
die **Blu|me**   die Blu|men
boh|ren   er bohrt,
er hat ge|bohrt,
er bohr|te
das **Boot**   die Boo|te
bö|se   bö|ser,
am bö|ses|ten
bo|xen   er boxt, er
hat ge|boxt, er box|te
das **Brauch|tum**
bre|chen   sie bricht,
sie hat ge|bro|chen,
sie brach
breit   brei|ter,
am brei|tes|ten
die **Bril|le**   die Bril|len
brin|gen   sie bringt,
sie hat ge|bracht,
sie brach|te

die **Brü|cke**   die Brü|cken
das **Buch**   die Bü|cher

C c

die **Chips**
der **Clown**   die Clowns
die **Couch**   die Cou|ches

D d

dank|bar
dank|ba|rer,
am dank|bars|ten
die **De|cke**   die De|cken
den
denn
der **Dieb**   die Die|be
der **Diens|tag**
der **Don|ners|tag**
drau|βen
dre|ckig   dre|cki|ger,
am dre|ckigs|ten
dre|hen   er dreht,
er hat ge|dreht,
er dreh|te
drü|cken   er drückt,
er hat ge|drückt,
er drück|te
der **Dschun|gel**
die Dschun|gel
dumm   düm|mer,
am dümms|ten
die **Dumm|heit**
die Dumm|hei|ten

E e

eckig   ecki|ger,
am eckigs|ten
das **Ei|gen|tum**
ein|nä|hen   er näht
ein, er hat ein|ge|näht,
er näh|te ein

ein|neh|men
sie nimmt ein, sie
hat ein|ge|nom|men,
sie nahm ein
das **Eis**
emp|fin|den
er emp|fin|det,
er hat emp|fun|den,
er emp|fand
das **En|de**   die En|den
ent|de|cken
sie ent|deckt,
sie hat ent|deckt,
sie ent|deck|te
der **Ent|schluss**
die Ent|schlüs|se
sich **ent|schul|di|gen**
er ent|schul|digt sich,
er hat sich
ent|schul|digt,
er ent|schul|dig|te sich
ent|wi|schen
es ent|wischt,
es ist ent|wischt,
es ent|wischte
das **Er|eig|nis**
die Er|eig|nis|se
das **Er|geb|nis**
die Er|geb|nis|se
er|käl|tet
das **Er|kennt|nis**
die Er|kennt|nis|se
er|klä|ren
sie er|klärt, sie hat
er|klärt, sie er|klär|te
die **Er|klä|rung**
die **Er|laub|nis**
das **Er|leb|nis**
die Er|leb|nis|se
er|rei|chen
sie er|reicht,
sie hat er|reicht,
sie er|reich|te

er|wi|dern
sie er|wi|dert,
sie hat er|wi|dert,
sie er|wi|der|te

der **Esel**   die Esel

es|sen   er isst,
er hat ge|ges|sen,
er aß, ess|bar

die **Eu|le**   die Eu|len

F f

fah|ren   sie fährt,
sie ist ge|fah|ren,
sie fuhr, die Fahrt,
die Fäh|re

fan|gen   er fängt, er
hat ge|fan|gen, er fing

fas|sungs|los

die **Fe|der**   die Fe|dern

der **Fern|se|her**
die Fern|se|her

fins|ter   fins|te|rer,
am fins|ters|ten

die **Fla|sche**
die Fla|schen

flei|ßig   flei|ßi|ger,
am flei|ßigs|ten

fli|cken   er flickt, er
hat ge|flickt, er flick|te,
das Flick|zeug

die **Flie|ge**   die Flie|gen

flie|gen   es fliegt, es
ist ge|flo|gen, es flog

flie|hen   er flieht, er
ist ge|flo|hen, er floh

flie|ßen   es fließt, es
ist ge|flos|sen, es floss

flit|zen   er flitzt,
er ist ge|flitzt, er flitz|te

der **Floh**   die Flö|he

das **Floß**   die Flö|ße

der **Flug**   die Flü|ge

---

der **Fluss**   die Flüs|se,
das Fluss|ufer

flüs|sig   flüs|si|ger,
am flüs|sigs|ten

fol|gen   er folgt, er ist
ge|folgt, er folg|te

die **Frau**   die Frau|en

die **Frei|heit**

der **Frei|tag**

fres|sen   es frisst, es
hat ge|fres|sen, es fraß

sich **freu|en**   sie freut sich,
sie hat sich ge|freut,
sie freu|te sich

der **Freund**   die Freun|de

die **Freun|din**
die Freun|din|nen

die **Freund|schaft**
die Freund|schaf|ten

fried|lich   fried|li|cher,
am fried|lichs|ten

froh   fro|her,
am frohs|ten

früh   frü|her,
am frü|hes|ten

der **Früh|ling**

der **Fuchs**   die Füch|se

sich **füh|len**   er fühlt sich,
er hat sich ge|fühlt,
er fühl|te sich

füh|ren   er führt,
er hat ge|führt, er
führ|te, die Füh|rung,
der Füh|rer|schein

das **Fürs|ten|tum**
die Fürs|ten|tü|mer

der **Fuß**   die Fü|ße

das **Fut|ter**

G g

ge|ben   es gibt, es
hat ge|ge|ben, es gab

---

der **Ge|burts|tag**
die Ge|burts|ta|ge

das **Ge|dächt|nis**

die **Ge|fahr**
die Ge|fah|ren

ge|fähr|lich
ge|fähr|li|cher,
am ge|fähr|lichs|ten

das **Ge|fäng|nis**
die Ge|fäng|nis|se

das **Ge|heim|nis**
die Ge|heim|nis|se

ge|hen   er geht,
er ist ge|gan|gen,
er ging, der Geh|steig,
der Geh|weg,
aus|ge|hen,
die Um|ge|hung

das **Ge|län|der**
die Ge|län|der

gelb

ge|sche|hen
es ge|schieht,
es ist ge|sche|hen,
es ge|schah

ge|win|nen
er ge|winnt,
er hat ge|won|nen,
er ge|wann

gie|ßen   sie gießt,
sie hat ge|gos|sen,
sie goss

die **Gi|raf|fe**
die Gi|raf|fen

der **Glanz**   glän|zend

das **Glas**   die Glä|ser

glatt   glat|ter,
am glat|tes|ten

glü|hen   er glüht,
er hat ge|glüht, er
glüh|te, die Glüh|bir|ne,
ver|glü|hen

das **Gramm**   kurz: g

das **Gras** die Grä|ser
groß
grö|ßer, am größ|ten
grün
der **Grund** die Grün|de
be|grün|den
gründ|lich
gründ|li|cher,
am gründ|lichs|ten
der **Gruß** die Grü|ße
grü|ßen sie grüßt,
sie hat ge|grüßt,
sie grüß|te
gut bes|ser,
am bes|ten

H h

der **Hai** die Haie
die **Hand** die Hän|de
das **Han|dy** die Han|dys
hän|gen es hängt,
es hat ge|han|gen,
es hing
hart här|ter,
am här|tes|ten
das **Hei|lig|tum**
die Hei|lig|tü|mer
heiß hei|ßer,
am hei|ßes|ten
hei|ßen sie heißt,
sie hat ge|hei|ßen,
sie hieß
hek|tisch
hek|ti|scher,
am hek|tischs|ten
heu|len er heult,
er hat ge|heult,
er heul|te
die **He|xe** die He|xen
der **Him|mel**
das **Hin|der|nis**
die Hin|der|nis|se

hin|ten
die **Hit|ze**
hoch hö|her,
am höchs|ten
hof|fen er hofft, er
hat ge|hofft, er hoff|te
die **Hoff|nung**
die **Ho|se** die Ho|sen
der **Hun|ger**
hüp|fen es hüpft, es
ist ge|hüpft, es hüpf|te
hus|ten sie hus|tet,
sie hat ge|hus|tet,
sie hus|te|te

I i

ihm
ihn
im
in

J j

das **Jahr** die Jah|re,
jähr|lich
der **Jam|mer**
jäm|mer|lich
die **Jeans**
je|mand je|man|den
jung jün|ger,
am jüngs|ten

K k

der **Kä|fer** die Kä|fer
der **Kä|fig** die Kä|fi|ge
das **Kalb** die Käl|ber
kalt
käl|ter, am käl|tes|ten,
er käl|ten
das **Kän|gu|ru**
die Kän|gu|rus

der **Ka|pi|tän**
die Ka|pi|tä|ne
der **Kä|se**
der **Kas|ten** die Käs|ten
der **Ka|ta|log**
die Ka|ta|lo|ge
die **Ka|tas|tro|phe**
die Ka|tas|tro|phen
die **Kat|ze** die Kat|zen
kau|fen er kauft,
er hat ge|kauft,
er kauf|te,
der Ver|käu|fer,
die Ver|käu|fe|rin
das **Ki|lo|byte** kurz: KB
das **Ki|lo|gramm** kurz: kg
das **Kind** die Kin|der
das **Kis|sen** die Kis|sen
die **Kis|te** die Kis|ten
die **Klam|mer**
die Klam|mern
klar kla|rer, am
klars|ten, er|klä|ren
die **Klas|se** die Klas|sen
kle|ben er klebt, er
hat ge|klebt, er kleb|te
der **Klecks** die Kleck|se
kna|cken es knackt,
es hat ge|knackt,
es knack|te
kni|cken sie knickt,
sie hat ge|knickt,
sie knick|te
kom|men er kommt,
er ist ge|kom|men,
er kam
kön|nen sie kann,
sie hat ge|konnt,
sie konn|te
der **Kör|per** die Kör|per
kos|ten es kos|tet,
es hat ge|kos|tet,
es kos|te|te

A B C D E F **G H I J K** L M N O P Qu R S T U V W X Y Z

Kraft – Name

die **Kraft**   die Kräf|te
kräf|tig   kräf|ti|ger,
am kräf|tigs|ten
krä|hen   er kräht, er
hat ge|kräht, er kräh|te
krass   kras|ser,
am kras|ses|ten
die **Kreu|zung**
die Kreu|zun|gen
kri|tisch   kri|ti|scher,
am kri|tischs|ten
der **Krug**   die Krü|ge
die **Kuh**   die Kü|he
küh|len   er kühlt, er
hat ge|kühlt, er kühl|te
ku|scheln
sie ku|schelt,
sie hat ge|ku|schelt,
sie ku|schel|te
küs|sen   er küsst,
er hat ge|küsst,
er küss|te

L l

das **Land**   die Län|der
die **Lang|sam|keit**
der **Lärm**
las|sen   er lässt, er
hat ge|las|sen, er ließ
das **Laub**
lau|fen   sie läuft,
sie ist ge|lau|fen,
sie lief, der Läu|fer
lau|nisch
lau|ni|scher,
am lau|nischs|ten
laut   lau|ter,
am lau|tes|ten
le|cker   le|cke|rer,
am le|ckers|ten
leicht   leich|ter,
am leich|tes|ten

sich **lei|hen**   er leiht sich,
er hat sich ge|lie|hen,
er lieh sich, aus|lei|hen,
der Leih|wa|gen,
leih|wei|se
le|sen   er liest,
er hat ge|le|sen, er las
lieb
lie|ber, am liebs|ten,
der Lieb|ling
die **Lis|te**   die Lis|ten
der **Li|ter**   kurz: l
lo|cken   er lockt, er
hat ge|lockt, er lock|te
der **Löf|fel**   die Löf|fel
lö|schen   sie löscht,
sie hat ge|löscht,
sie lösch|te
lö|sen   er löst,
er hat ge|löst, er lös|te
lus|tig   lus|ti|ger,
am lus|tigs|ten

M m

ma|chen   es macht,
es hat ge|macht,
es mach|te
das **Mäd|chen**
die Mäd|chen,
das Ma|del
der **Ma|gen**   die Mä|gen
das **Mahl**   die Mah|le
die **Mäh|ne**   die Mäh|nen
der **Mai**
man
der **Mann**   die Män|ner,
das Männ|lein
das **Mär|chen**
die Mär|chen
der **März**
das **Maß**   die Ma|ße
der **Matsch**

das **Meer**   die Mee|re
das **Me|ga|byte**   kurz: MB
mehr
meis|tens
die **Meis|ter|schaft**
die Meis|ter|schaf|ten
mes|sen   sie misst,
sie hat ge|mes|sen,
sie maß
der **Me|ter**   kurz: m
der **Mil|li|me|ter**
kurz: mm
der **Mit|tag**   die Mit|ta|ge
der **Mitt|woch**
der **Mon|tag**
das **Moos**   die Moo|se
mü|de   mü|der,
am mü|des|ten
mu|hen   sie muht,
sie hat ge|muht,
sie muh|te
die **Müh|le**   die Müh|len
die **Mu|schel**
die Mu|scheln
müs|sen   er muss,
er hat ge|musst,
er muss|te
mu|tig   mu|ti|ger,
am mu|tigs|ten
die **Müt|ze**   die Müt|zen

N n

nach|her
nächs|te   nächs|ter
nah
nä|her, am nächs|ten,
die Nä|he
nä|hen   er näht, er
hat ge|näht, er näh|te,
die Näh|ma|schi|ne,
die Naht
der **Na|me**   die Na|men

näm lich

na schen   sie nascht,
sie hat ge nascht,
sie nasch te

nass   nas ser,
am nas ses ten

neh men   er nimmt,
er hat ge nom men,
er nahm

neu gie rig
neu gie ri ger,
am neu gie rigs ten

nie sen   er niest, er
hat ge niest, er nies te

die   **Num** mer
die Num mern

die   **Nuss**   die Nüs se
nüt zen   es nützt, es
hat ge nützt, es nütz te

O o

der   **Ofen**   die Öfen
of fen

die   **Öf** fent lich keit

das   **Ohr**   die Oh ren

der   **On** kel   die On kel

der   **Opa**   die Opas

die   **Ope** ra ti on
die Ope ra tio nen

die   **Oran** ge
die Oran gen

die   **Ort** schaft
die Ort schaf ten

P p

das   **Paar**   die Paa re
paar
pa cken   sie packt,
sie hat ge packt,
sie pack te,
das Päck chen

die   **Part** ner schaft
die Part ner schaf ten

der   **Pass**   die Päs se
pet zen   er petzt, er
hat ge petzt, er petz te

die   **Pfüt** ze   die Pfüt zen

das   **Phan** tom
die Phan to me

der   **Pha** rao
die Pha ra os

die   **Pha** se   die Pha sen

die   **Pom** mes

der   **Preis**   die Prei se
prob le ma tisch
prob le ma ti scher,
am
prob le ma tischs ten
prü fen   er prüft, er
hat ge prüft, er prüf te

die   **Pünkt** lich keit

die   **Pup** pe   die Pup pen
put zen   er putzt, er
hat ge putzt, er putz te

Qu qu

die   **Qual** le   die Qual len

R r

das   **Rad**   die Rä der

das   **Ra** dio   die Ra di os
ra scheln
es ra schelt,
es hat ge ra schelt,
es ra schel te
ra ten   er rät, er hat
ge ra ten, er riet, das
Rät sel, rät sel haft
rau ben   sie raubt,
sie hat ge raubt,
sie raub te,
der Raub

die   **Rech** nung
die Rech nun gen

das   **Reh**   die Re he
rei ßen   es reißt, es
ist ge ris sen, es riss
ren nen   er rennt, er
ist ge rannt, er rann te,
die Renn maus
rich tig   rich ti ger,
am rich tigs ten
rie sig   rie si ger,
am rie sigs ten

der   **Rock**   die Rö cke
roh   ro her,
am ro hes ten

die   **Ro** se   die Ro sen
ru hen   er ruht, er hat
ge ruht, er ruh te,
die Ru he, aus ru hen
ru hig   ru hi ger,
am ru higs ten

S s

der   **Sä** bel   die Sä bel

die   **Sa** che   die Sa chen

der   **Sack**   die Sä cke

die   **Sä** ge   die Sä gen
sä gen   er sägt, er
hat ge sägt, er säg te
sam meln
sie sam melt,
sie hat ge sam melt,
sie sam mel te

die   **Samm** lung
die Samm lun gen

der   **Sams** tag

das   **Sand** wich
die Sand wi ches
sau ber   sau be rer,
am sau bers ten,
säu bern

die   **Säu** le   die Säu len

der **Schä**|del
die Schä|del
schaf|fen sie schafft,
sie hat ge|schafft,
sie schaff|te
schal|ten er schal|tet,
er hat ge|schal|tet,
er schal|te|te
der **Schat**|ten
die Schat|ten
der **Schatz** die Schät|ze
schen|ken
sie schenkt,
sie hat ge|schenkt,
sie schenk|te,
das Ge|schenk
die **Sche**|re die Sche|ren
schie|βen er schießt,
er hat ge|schos|sen,
er schoss
das **Schiff** die Schif|fe
das **Schloss**
die Schlös|ser
der **Schlüs**|sel
die Schlüs|sel
schme|cken
es schmeckt,
es hat ge|schmeckt,
es schmeck|te
schmut|zig
schmut|zi|ger,
am schmut|zigs|ten
schnell schnel|ler,
am schnells|ten,
der Schnell|zug
schön schö|ner,
am schöns|ten
die **Schön**|heit
schräg schrä|ger,
am schrägs|ten
schreck|lich
schreck|li|cher,
am schreck|lichs|ten

schrei|ben er schreibt,
er hat ge|schrie|ben,
er schrieb,
das Schreib|heft
der **Schritt** die Schrit|te
der **Schuh** die Schu|he,
die Schuh|spit|ze
schul|dig
schul|di|ger,
am schul|digs|ten,
die Schuld
schüt|teln
sie schüt|telt,
sie hat ge|schüt|telt,
sie schüt|tel|te
schüt|zen er schützt,
er hat ge|schützt,
er schütz|te
schweig|sam
schweig|sa|mer,
am schweig|sams|ten
schwie|rig
schwie|ri|ger,
am schwie|rigs|ten,
die Schwie|rig|keit
schwit|zen
er schwitzt,
er hat ge|schwitzt,
er schwitz|te
se|hen sie sieht, sie
hat ge|se|hen, sie sah,
der Fern|se|her,
der Seh|test
sein er ist, er ist
ge|we|sen, er war
die **Sel**|ten|heit
der **Ses**|sel die Ses|sel
set|zen er sitzt, er
hat ge|ses|sen, er saß
die **Si**|cher|heit
das **Skate**|board
die Skate|boards
so|fort

die **Son**|ne die Son|nen
der **Sonn**|tag
sonst
die **So**|βe die So|βen
span|nend
span|nen|der,
am span|nends|ten
spa|ren er spart, er
hat ge|spart, er spar|te
der **Spaβ** die Spä|βe
spät spä|ter,
am spä|tes|ten
der **Spie**|gel die Spie|gel
sport|lich sport|li|cher,
am sport|lichs|ten
spre|chen er spricht,
er hat ge|spro|chen,
er sprach
sprin|gen es springt,
es ist ge|sprun|gen,
es sprang
der **Stamm** die Stäm|me
die **Stan**|ge die Stan|gen
der **Stän**|gel die Stän|gel
stap|fen er stapft, er
ist ge|stapft, er stapf|te
stau|ben es staubt,
es hat ge|staubt,
es staub|te, der Staub
ste|cken es steckt,
es hat ge|steckt,
es steck|te,
die Steck|do|se,
der Ste|cker,
die Steck|na|del
ste|hen er steht,
er hat ge|stan|den,
er stand
stei|gen es steigt,
es ist ge|stie|gen,
es stieg
der **Stern** die Ster|ne
der **Stock** die Stö|cke

stöh|nen sie stöhnt, sie hat ge|stöhnt, sie stöhn|te
stö|ren er stört, er hat ge|stört, er stör|te
sto|ßen er stößt, er hat ge|sto|ßen, er stieß
der Strand die Strän|de
die Stra|ße die Stra|ßen
der Strauch die Sträu|cher
der Strauß die Sträu|ße
sich strei|ten sich, er hat sich ge|strit|ten, er stritt sich
die Stro|phe die Stro|phen
der Stuhl die Stüh|le
der Sturm die Stür|me, stür|misch
stür|zen sie stürzt, sie ist ge|stürzt, sie stürz|te
su|chen er sucht, er hat ge|sucht, er such|te
süß sü|ßer, am sü|ßes|ten

T t

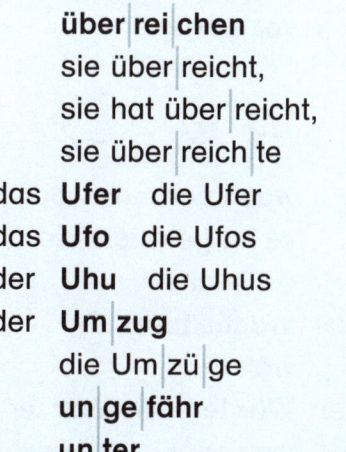

die Tan|ne die Tan|nen
tap|fer tap|fe|rer, am tap|fers|ten
die Ta|sche die Ta|schen
die Tas|se die Tas|sen
der Tausch
täu|schen er täuscht, er hat ge|täuscht, er täusch|te
das The|ater auch: das Thea|ter, die The|ater

das Ther|mo|me|ter die Ther|mo|me|ter
die Toi|let|te die Toi|let|ten
tra|gen er trägt, er hat ge|tra|gen, er trug
der Trai|ner die Trai|ner
die Trä|ne die Trä|nen
der Traum die Träu|me
träu|men sie träumt, sie hat ge|träumt, sie träum|te
tref|fen er trifft, er hat ge|trof|fen, er traf, der Treff|punkt
tro|cken tro|cke|ner, am tro|ckens|ten

U u

über|rei|chen sie über|reicht, sie hat über|reicht, sie über|reich|te
das Ufer die Ufer
das Ufo die Ufos
der Uhu die Uhus
der Um|zug die Um|zü|ge
un|ge|fähr
un|ter
der Ur|laub die Ur|lau|be

V v

der Vam|pir die Vam|pi|re
die Va|se die Va|sen
sich ver|dre|hen er ver|dreht sich, er hat sich ver|dreht, er ver|dreh|te sich

ver|gess|lich ver|gess|li|cher, am ver|gess|lichs|ten
das Ver|hält|nis
ver|kau|fen er ver|kauft, er hat ver|kauft, er ver|kauf|te, der Ver|kauf, ver|käuf|lich
ver|lei|hen sie ver|leiht, sie hat ver|lie|hen, sie ver|lieh
ver|lie|ren er ver|liert, er hat ver|lo|ren, er ver|lor
ver|ra|ten er ver|rät, er hat ver|ra|ten, er ver|riet
ver|reg|net
ver|rei|sen er ver|reist, er ist ver|reist, er ver|reis|te
ver|ros|ten es ver|ros|tet, es ist ver|ros|tet, es ver|ros|te|te
ver|rü|cken er ver|rückt, er hat ver|rückt, er ver|rück|te
ver|rückt ver|rück|ter, am ver|rück|tes|ten, die Ver|rückt|heit
ver|schie|den ver|schie|de|ne
ver|schmut|zen sie ver|schmutzt, sie hat ver|schmutzt, sie ver|schmutz|te
ver|set|zen er ver|setzt, er hat ver|setzt, er ver|setz|te

A B C D E F G H I J K L M N O P Qu R **S T U V** W X Y Z

ver|spre|chen
sie ver|spricht,
sie hat ver|spro|chen,
sie ver|sprach

sich **ver|ste|cken**
er ver|steckt sich,
er hat sich ver|steckt,
er ver|steck|te sich

ver|su|chen
er ver|sucht, er hat
ver|sucht, er ver|such|te

sich **ver|tra|gen**
er ver|trägt sich,
er hat sich ver|tra|gen,
er ver|trug sich,
der Ver|trag,
ver|träg|lich

ver|trau|en
er ver|traut, er hat
ver|traut, er ver|trau|te,
das Ver|trau|en,
ver|trau|lich

die **Ver|wandt|schaft**

ver|zwei|felt
ver|zwei|fel|ter,
am ver|zwei|felts|ten

das **Vi|deo** die Vi|de|os

viel mehr,
am meis|ten

die **Vil|la** die Vil|len

sich **vor|be|rei|ten**
er be|rei|tet sich vor,
er hat sich vor|be|rei|tet,
er be|rei|te|te sich vor

sich **vor|drän|geln**
er drän|gelt sich vor,
er hat sich
vor|ge|drän|gelt,
er drän|gel|te sich vor

vor|ei|lig vor|ei|li|ger,
am vor|ei|ligs|ten

die **Vor|füh|rung**
die Vor|füh|run|gen

vor|ge|hen
er geht vor,
er ist vor|ge|gan|gen,
er ging vor

der **Vor|hang**
die Vor|hän|ge

der **Vor|mit|tag**
die Vor|mit|ta|ge

der **Vor|na|me**
die Vor|na|men

vor|rech|nen
er rech|net vor,
er hat vor|ge|rech|net,
er rech|ne|te vor

die **Vor|run|de**
die Vor|run|den

vor|sich|tig
vor|sich|ti|ger,
am vor|sich|tigs|ten

die **Vor|spei|se**
die Vor|spei|sen

vor|wärts

W w

wach|sen es wächst,
es ist ge|wach|sen,
es wuchs

das **Wachs|tum**

wäh|rend

der **Wär|ter** die Wär|ter

wa|schen er wäscht,
er hat ge|wa|schen,
er wusch

das **Was|ser**

wech|seln
sie wech|selt,
sie hat ge|wech|selt,
sie wech|sel|te

we|cken er weckt,
er hat ge|weckt,
er weck|te

der **We|cker** die We|cker

der **Weg** die We|ge

we|hen es weht, es
hat ge|weht, es weh|te

weiß

weit wei|ter,
am wei|tes|ten

wel|che wel|cher

die **Welt** die Wel|ten

wen

wenn

der **Wi|der|stand**
die Wi|der|stän|de

wie|der

die **Wie|der|ho|lung**
die Wie|der|ho|lun|gen

wie|der|wäh|len
er wählt wie|der, er
hat wie|der|ge|wählt,
er wähl|te wie|der

die **Wie|se** die Wie|sen

wis|sen er weiß,
er hat ge|wusst,
er wuss|te

die **Wis|sen|schaft**
die Wis|sen|schaf|ten

wit|zig wit|zi|ger,
am wit|zigs|ten

wol|len er will, er hat
ge|wollt, er woll|te

das **Wun|der** die Wun|der

Z z

der **Zeh** die Ze|hen

der **Zen|ti|me|ter**
kurz: cm

das **Zeug|nis**
die Zeug|nis|se

zie|hen er zieht, er
hat ge|zo|gen, er zog

der **Zu|cker**

der **Zug** die Zü|ge

zu|letzt